OUSMANE SOW LE SOLEIL EN FACE

Ousmane Sow

le soleil en face

ISBN : 2-9513768-0-4

Après Les champs de la sculpture en 1996, qui présentait sur les Champs-Elysées un panorama de la sculpture moderne en Europe, après l'hommage rendu au sculpteur américain contemporain Mark di Suvero sur l'esplanade des Invalides et dans d'autres lieux parisiens en 1997, Paris est aujourd'hui fier et heureux d'accueillir l'artiste sénégalais Ousmane Sow sur le Pont des Arts, à l'occasion de la semaine mondiale de la langue française et de la Francophonie.

Ousmane Sow s'affirme comme l'un des artistes majeurs surgis durant ces dix dernières années. Il a certes déjà eu droit aux honneurs de la Dokumenta de Kassel en 1992 et de la biennale de Venise en 1995, mais c'est la première fois qu'une rétrospective lui est consacrée. Au moment où se lance à Paris, sous l'impulsion du Président de la République, la réalisation d'un nouveau musée consacré à ces arts que l'on dit premiers, comment ne pas veiller à la présentation, en parallèle, d'artistes qui aujourd'hui puisent à ces sources et les mêlent à celles de la tradition occidentale, pour bâtir une œuvre originale ?

Ousmane Sow, qui vécut vingt ans à Paris, est de ceux-là. Son art tient à la fois d'un Rodin, d'un Bourdelle, et du génie de l'Afrique. Ni réalistes, ni symboliques, les guerriers sculptés de Sow l'Africain, véritables surnatures, exaltent la dignité du corps et le pouvoir du geste. Mais c'est au-delà des continents que cet art de terre, de toile, de couleur et de colle lance son hymne à la liberté, comme en témoigne la dernière série de l'artiste, Little Big Horn, exceptionnel ensemble de trente-cinq sculptures qui rend hommage à la plus éclatante victoire des Indiens d'Amérique.

Je me réjouis que, durant deux mois, l'art saisissant et envoûtant d'Ousmane Sow vienne s'inscrire au cœur de Paris, dans l'un des plus beaux sites de notre capitale.

Jean Tiberi
Maire de Paris

A la veille de l'an 2000, l'exposition d'Ousmane Sow et la nouvelle série intitulée Little Big Horn, *pour lesquelles nous avons voulu nous associer à la Ville de Paris, présente l'œuvre d'un artiste majeur de son temps, d'un fils de l'Afrique aussi, qui établit puissamment la présence de l'Afrique au monde. A la fin des années quatre-vingt déjà, l'irruption magistrale de l'œuvre d'Ousmane Sow dans le monde de l'art signalait à notre attention la vigueur d'une renaissance des arts africains jusque-là négligée, souvent sous-estimée.*

Le fait qu'Ousmane Sow ait souhaité cette fois entrer en dialogue avec l'Amérique et ses nations indiennes atteste aussi d'une ouverture au monde que l'Afrique revendique toujours au travers de valeurs permanentes qui la relient à l'humanité et contribuent chaque fois à son ressourcement.

Le génie d'Ousmane Sow nous offre le bonheur d'une émotion partagée intimement avec la terre entière ; il permet à l'Afrique de se projeter dans ce qu'elle a d'excellence, de noblesse et de vaillance. Afrique en Créations s'honore de prendre part à cet événement qui, après le Pont des Arts à Paris, nous l'espérons vivement, rebondira à travers la France, en Europe et dans le monde.

Par cet engagement aux côtés d'un des plus grands artistes du continent africain et avec lui, nous espérons aussi rendre visible la création africaine aujourd'hui en mouvement, matrice d'une infinité d'expressions culturelles novatrices, conjuguées au présent, offensives, mieux comprises, et enfin entendues.

C'est cette renaissance insoupçonnée qu'Afrique en Créations a pour mission d'accompagner, de valoriser, de diffuser et de promouvoir depuis 1990 et qu'elle mène souvent avec discrétion, dans un travail patient au plus près des créateurs, afin de contribuer à la mise à jour de nouveaux talents.

Ibrahim Loutou
Président d'Afrique en Créations

Les photographies du présent catalogue
ont été réalisées par :
Martine Franck, Béatrice Soulé et Martine Voyeux

Le portrait d'Ousmane Sow
sur la page 10 est une photographie
d'Henri Cartier-Bresson

Sommaire

Ousmane Sow
Un chant de lutte et de victoire

Comme s'il fallait que tout y passe, que tout y macère à la façon d'un yassa ou d'un maffé : le réalisme magique des têtes d'Ifé du Nigeria, l'énergie morbide des crânes surmodelés, la spiritualité charnelle de Michel-Ange, l'érotisme mâle de Rodin, l'héroïsme guerrier de Bourdelle, l'hygiène sportive de Leni Riefenstahl, la fantaisie plastique de Wallace et Gromit, que sais-je encore ? Face à la stupeur que provoque la sculpture d'Ousmane Sow, face à cet écrasement qui étreint le regard du spectateur surpris et apeuré, c'est pêle-mêle que l'on dévide l'écheveau confus de connaissances soudainement mises en déroute.
L'art d'Ousmane Sow contient certes toutes ces fureurs et toutes ces beautés. Aucune d'elles ne le résume. Comme tout art majeur lorsqu'il fait son apparition, le monde à la fois titanesque et tendre d'Ousmane Sow est un piège à lieux communs, une chausse-trappe à banalités et à tout cortège de déjà-vu, de déjà-dit, de correctement pensé.

Les bons géants du démiurge sénégalais avancent en tirailleurs d'une autre guerre, celle de la beauté retrouvée dans sa violence et sa nécessité première, à l'aube du troisième millénaire. Comme le Gulliver de Swift, qui se retrouve subitement lilliputien au royaume des géants de Brobdingnag, notre sculpture contemporaine occidentale, si souvent pleine de morgue et de condescendance envers les barbares qui s'agitent à ses frontières, avoue brutalement ses insuffisances et ses faiblesses.
Les guerriers d'éternité au regard triste de Sow l'Africain nous obligent à repenser notre appréhension du continent noir, des affres et des désastres de l'art contemporain, des sourdes défiances du modelé, et toutes les soi-disant coupables virtuosités de la main. Avec l'irruption de ses *Nouba* au milieu des années 80, d'un coup, Ousmane Sow replace l'âme au corps de la sculpture, et l'Afrique au cœur de l'Europe. Avec ses *Masaï* de 1989, dont l'immense *Guerrier debout* apparaît à la fois comme le gardien et le messager, il met définitivement en danger la mort annoncée de la sculpture.

Si l'on en croit l'écrivain Peulh Hampâté Ba, un homme en Afrique n'est considéré comme adulte qu'à partir de quarante-deux ans. A cinquante ans, à l'âge où bon nombre d'étoiles trop vites allumées s'éteignent, Ousmane Sow, sorte de Dubuffet noir nouvelle manière, entre en sculpture comme on entre en religion. En traînant derrière lui ce paradoxe, qui le fait souvent exposer sous l'étiquette d'un art africain "ghettoisé", alors même que certaines âmes bien intentionnées lui reprochent de pratiquer un art occidentalisé, vendu aux canons de l'esthétique grecque antique...

Occidental, Ousmane Sow l'est assurément. Elevé à l'Ecole française de Dakar, et ayant vécu près de vingt ans à Paris, des commissariats de la Gare de Lyon – quand il ne savait où dormir – à son cabinet de kinésithérapeute de Montreuil-sous-Bois, puis à Paris dans le 20e arrondissement – quand il consultait le jour et sculptait la nuit – ce chirurgien du corps, de tous les corps, n'ignore rien de la culture tempérée.

Mais africain, Ousmane l'est viscéralement. Et plus encore de cette terre du Sénégal, cette Grèce de l'Afrique, il a dans ses gènes le souvenir des chevauchées et des razzias dans la savane brûlante qu'opéraient sa grand-mère et son arrière grand-père avec les "cedo", ces cavaliers du diable des armées royales. Au-delà de ce bruit et de cette fureur enfouis, il y a en lui cette parole inspirée du griot, ce souffle épique de la narration homérique, ce goût du mythe vivant, qu'on peut et qu'on veut toucher du doigt et des yeux. On ne devient pas impunément un "menton velu" prodige, dans un continent où l'art souverain reste la sculpture. Une sculpture à taille humaine, qu'on peut promener avec soi, sans esquisse, sans étude et sans dessin préparatoire, soumise à la seule dextérité de l'artiste, qui a pour charge de faire signifier la matière. Un art inspiré qui se passe de modèles.

La sculpture africaine, on le sait, c'est la parole devenue forme. "J'adore raconter des histoires", avoue en retour Ousmane Sow. Loin cependant d'évoquer une quelconque anecdote, ses figures, comme ce puissant *Buveur de sang et Buffle* appartenant aux *Masaï* – double noir d'Hercule domptant le taureau de Crète – sont des dieux noirs en action. Des corps esprits. Des âmes recomposées à partir de déchets de chair. Des Golem de boue, de fer et de paille, des corps innervés de vie, des guerriers de la nuit tropicale qui peuvent aussi, occasionnellement, jouer le rôle d'épouvantail à porte-bouteilles.

Les portraits de groupe qu'à réalisés Ousmane Sow, depuis ses premiers *Nouba* – issus du choc des photos de danse et de transe d'une Leni Riefenstahl revenue de ses odes aux dieux du stade hitlériens –, répondent ainsi, à leur façon, aux critères de l'art du continent noir. Même si les tailles, inhabituelles pour la statuaire africaine, dépassent souvent les deux mètres cinquante, il faut se rappeler que Sow lui-même mesure un mètre quatre-vingt-dix. Et, bien qu'il ait réalisé des séries presque hallucinantes de vérité sur les *Zoulou* ou les *Masaï*, il n'a jamais éprouvé le besoin d'aller voir ces peuples qu'il ne connaît pas.
"Je représente l'homme, c'est tout, dit-il. Je laisse les images naître d'elles-mêmes." Des peuplades d'Afrique aux Indiens d'Amérique, il recherche le fluide de ces hommes debout, qui "ont le souci de leur corps, le goût du maquillage, et la vénération de leurs sorciers". Comme s'il s'agissait pour lui de combler des trous de l'art africain, d'offrir en miroir à ces ethnies nomades fières et esthètes cet art sédentaire qui leur fait défaut : la sculpture. Et, pour aller plus loin encore, de sculpter le mouvement au travers d'hommes qui ne cessent de bouger...

On ne peut plus alors s'étonner de son intérêt passionné et brutal pour les Indiens d'Amérique. En passant d'un continent à un autre, comme l'a fait l'histoire au travers de l'esclavage, en remplaçant au Nouveau Monde un Indien mort par un Noir déraciné et réduit à l'état de bête de somme, Ousmane Sow rend hommage, dans sa dernière et puissante création, aux ultimes guerriers d'un même soleil. Hommes eux-aussi "de couleur", les libres Peaux-Rouges sioux et cheyenne de Sitting Bull, Crazy Horse, Two Moon et Gall se sont opposés une dernière fois, à la bataille de Little Big Horn, à la rage de destruction blanche. Comme si le génocide, initié à partir de Gorée, l'île mythique de la traite qui fait face à Dakar, avait trouvé là un point d'aboutissement. Cette première – et dernière – éclatante victoire préludait en effet à une guerre totale et à une élimination systématique de la race indienne de la part d'autorités américaines qui venaient à peine d'abolir l'esclavage. Bien qu'Ousmane Sow ait choisi de traiter le cœur même du combat, en évoquant les terrifiants corps à corps, seul type de lutte digne de ce nom aux yeux des Indiens, il a conféré à ces scènes de carnage une gravité et une religiosité éloignées de toute volonté spectaculaire. Et bien plus que *La Charge fantastique* ou tout autre western en technicolor, c'est le *Guernica* de Picasso qui vient à l'esprit devant ces soldats à terre pratiquant leur rituel de mort, ou ces amas de chevaux blessés qui redressent la tête pour hennir longuement à la mort. Immense cri figé dans la couleur et dans la douleur, la bataille entière se résume peut-être au regard droit et perdu de Sitting Bull, l'homme-médecine, le sorcier, assis à l'écart, en prière.

Artiste-médecine, ancien kinésithérapeute comme on l'a dit, Ousmane Sow sculpte comme autrefois il prodiguait des soins. En palpant, en pansant, en massant longuement, jusqu'à faire venir et revenir la vie. Sculpter chez lui devient caresser. Il faut le voir, dans sa cour-atelier au grand soleil de Dakar, pétrir longuement dans ses grandes mains burinées une pâte étrange, mi-chocolat onctueux, mi-lourde terre prométhéenne, qu'il applique à l'aide de tissus barbouillés sur une armature de fer recouverte de paille synthétique. Cette mixture aussi pauvre que magique, obtenue à base de déchets de colle altérée, et qui a macéré avec une vingtaine d'autres produits pendant des années, lui permet toutes les audaces, toutes les finesses, toutes les brutalités, toutes les couleurs et toutes les odeurs. Comme dans les anciennes sculptures africaines rituelles dont la confection passait toujours par des techniques de trempe dans la boue, de patine à l'huile ou à la cire d'abeille, et de cuisine sacrificielle, mêlant le sang et la bière.
D'ailleurs, comme ces exécutants anonymes des arts que, par coquetterie, on appelle aujourd'hui "premiers", qui inventaient leur œuvre en secret, Ousmane Sow refuse obstinément de révéler l'alliage de sa mixture. Tout comme il n'aime guère ouvrir la porte de son atelier tant qu'il considère que ses sculptures ne sont pas encore investies. Ses humaines, trop humaines créatures ne sont pas des simulacres mais des énigmes. Des interrogations violentes qui dansent au bord de la nuit. Elles laissent au spectateur le soin de briser le cercle. Pour rejoindre la prière.

Emmanuel Daydé

L'ailleurs universel

Toute visite d'atelier peut avoir valeur d'initiation ou, à tout le moins, nous donner l'illusion d'accéder à un univers qui nous est étranger et auquel un privilège nous a conduit, ouvrant des portes jusqu'alors inconnues. L'étrangeté s'accroît si nous abordons, à la pointe d'un immense continent, une culture autre en voie de mutation. A Dakar la familiarité l'emporte souvent sur l'exotisme. Une familiarité qui tient à l'Histoire mais aussi à l'esprit et à la gentillesse d'une population qui, quelle que soit sa pauvreté et la difficulté des transformations qu'elle doit affronter, semble toujours chaleureuse et qui devient vraiment princière, surtout peut-être chez les femmes, dans la noblesse des comportements, la splendeur des corps et le port chatoyant des drapés. Malgré les illusions que le métissage des modes de vie peut développer, une Afrique que l'on sait souvent douloureuse, mais aussi infiniment riche, profonde et complexe nous est, ici, pour beaucoup de raisons, extrêmement proche.

Du centre de la ville le trajet est long pour rejoindre, au-delà de l'aéroport, le quartier de Tondoup Rya. On longe la mer, on côtoie des zones résidentielles avec de grandes propriétés boisées, la côte est assez ingrate et rase, l'urbanisation désordonnée et fantasque, l'espace désarticulé sans agressivité, avec la lumière très crue, la chaleur et la brise de mer ; on est saisi par les silences et la présence d'habitants apparemment désœuvrés, par leurs regards interrogateurs dans ces terrains sans identité où s'enlise la ville, où s'entrechoquent murs blancs fraîchement rechampis et tas de parpaings.
Pendant ce trajet, je songe à son œuvre soudain surgie sur la scène de l'art contemporain, et aux rencontres déjà anciennes ; aux *Nouba* installés dans la lumière purifiée par le mistral du Centre de la Vieille Charité à Marseille, en 1989 ; à leur monumentalité face à la grandeur du lieu, insolites au premier regard par leur incursion inattendue, par leur réalisme alors étranger aux formes habituelles de la création contemporaine internationale, par leur échelle décalée sans être gigantesque, par la boursouflure boueuse de leurs corps nus, leurs peaux bitumineuses et souffrantes ; à ces personnages humbles et extraordinaires, enluminés parfois de masques peints aux pigments naturels, identifiés par quelque modeste accessoire, bracelet ou cordelette. Ils tenaient là admirablement l'espace, forçaient l'attention et suscitaient une sorte de fascination, immédiatement reçus comme présences de partage, de dialogue. En plein air, hors les murs, dans la déambulation grandiose de la cour, ils étaient ici relais et témoignage, humanité pathétique sans déclamation, avec leurs regards profonds ou perdus, parlant du destin aux habitants du Panier, pourtant souvent étrangers à l'activité du lieu, comme aux visiteurs du musée. Je quittais alors Marseille et n'avais pu malheureusement rencontrer Ousmane Sow, mais je savais que son rayonnement, sa force, sa sérénité tranquille allaient être aussi perçus ici comme ceux d'un vrai témoin.

A la Biennale de Venise, en 1995, dans l'exposition "Identité et Altérité" organisée par Jean Clair, je retrouvais le couple *Nouba* qui avait été sélectionné et qui semblait s'être réfugié dans un détour hors parcours, placé sur une sorte de passage en surplomb, dominant, indifférent et solitaire, comme si les organisateurs avaient été conscients de ne pouvoir l'enrégimenter dans les petites querelles du monde de l'art que cette manifestation provoquerait particulièrement cette année-là. Cette marginalité consentie le désignait particulièrement à l'attention. Elle était questionnement. L'art d'Ousmane Sow se situe en effet au-delà, dans un ailleurs universel qui est profondément en nous et qui, par cela même, nous touche singulièrement.

Encore en chantier, la maison, étroitement logée dans un lotissement assez serré semble, au premier regard, appartenir au monde environnant avec ses structures en béton et ses étages superposés. Elle se situe pourtant en retrait par rapport aux bâtiments éclatants de blancheur du voisinage, comme surgie du sol, portant en elle tout un village, avec son alternance de volumes géométriques et de courbes

organiques que les couleurs du sol distinguent, de l'ocre clair ou rouge à la terre de Sienne ou à la terre verte. On ne perçoit pas, tout d'abord, la dimension réelle ni les indéniables qualités architecturales de son organisation plastique, spirituelle et fonctionnelle. La structure, la modénature de ses plateaux, de ses galeries périphériques et de ses balustrades extérieures ne s'imposent pas d'emblée, mais elles constituent comme un robuste filet qui relie et unit les diverses unités singulières de cet agglomérat.
La maison est précédée d'un petit jardin ombreux qu'envahissent les tamaris. L'artiste appelle cette demeure en gestation "le sphinx" ; elle semble muette, en effet, et ne se livre pas. On y pénètre, au-delà d'une étroite passerelle, par une petite porte qui donne imédiatement accès à plusieurs itinéraires intérieurs. Escaliers, enchaînements de pièces, composent sur toute la hauteur du bâtiment un étrange labyrinthe vertical qui converge à l'étage sur un espace convivial central, sorte de patio intérieur illuminé par des jours ouverts horizontalement en partie haute des murs. Ousmane Sow s'est plu à transformer selon les pièces la lumière qui pénètre par de larges baies, des portes vitrées, et souvent, aussi, par de petites fenêtres cintrées, parfois inversées. Des volets viennent la tamiser ou la libérer selon les heures. Il a porté un soin particulier aux matières, la totalité des sols étant couverte de carreaux coulés avec son matériau personnel constitué de colles altérées, de sables et de pigments, ce qui leur donne la qualité d'un épiderme tendre incitant à les fouler pieds nus, et qui déroule un somptueux décor coloré, très naturel d'apparence, aux damiers irréguliers. On perçoit aussi son attention à la dimension des espaces intérieurs, selon leurs usages et sans doute aussi leur fonction symbolique. L'artiste s'est réservé, sur le toit de cette demeure qui aurait ému Etienne-Martin, un logement et une "salle de méditation" qui peut être ouverte sur tous les horizons, et notamment sur l'océan, comme le balcon qui l'entoure, ou bien rester fraîche et close derrière ses persiennes.
Cette maison est comme une version contemporaine de l'habitat traditionnel africain, initiatique dans ses parcours, hiérarchisée pour le partage collectif et l'exercice de l'autorité ou de la réflexion solitaire. Elle est encore en évolution mais il fait bon, déjà, s'y asseoir en fin de journée, sur la galerie de la terrasse, pour parler avec notre hôte en regardant au loin.

Le jardin doit être à peine plus grand que celui de la maison de Grand Médine où l'artiste réalisa jusqu'à présent la plus grande part de son œuvre. Du moins est-ce l'impression qu'il donne tant il est dominé par la maison dans sa hauteur. Il la contourne, dans son usage d'atelier, sur trois de ses côtés, clos d'un haut mur de parpaings, ponctué de jeunes palmiers et de tamaris. Malgré l'heure déjà tardive, il semble écrasé de lumière.

La première impression est celle d'un charnier, d'un indescriptible amoncellement de corps en décomposition où l'on discerne bientôt les carcasses d'hommes et de chevaux, cambrés, écroulés, emmêlés au milieu des bidons où croupit une étrange mixture. Les squelettes de fer apparaissent sous leur chair de paille recouverte le plus souvent d'une première peau de toile de jute qui semble desquamée et en voie de désagrégation. Aucune pièce n'est vraiment plus avancée qu'une autre ou *a fortiori* terminée. Elles gisent toutes là, sur le sable doré du sol, qui est par-là même plus lumineux et vivant que les sculptures et en contraste avec elles. Cette vision a la terrible cohérence du stade de l'horreur ultime de la mort et de la putréfaction. Le sculpteur a, comme peut le faire un dessinateur sur une feuille d'études, esquissé progressivement l'ensemble de son œuvre, et il part maintenant de ce charnier global qui conclura la bataille pour dégager ensuite les protagonistes qu'il porte en lui, pour leur restituer leur humanité, leur identité, opérer une lente remontée vers la vie, l'affirmation de la personne, les luttes essentielles de l'humanité, l'héroïsme et, bien qu'il s'agisse d'une victoire à Little Big Horn, sans doute le désespoir d'un destin sans rémission.

La démarche d'Ousmane Sow est celle du chroniqueur relatant un épisode glorieux mais bientôt fatal de cette histoire des premières nations américaines qui, comme le ressent l'artiste, rejoint souvent celle de l'Afrique. Il aime donner une dimension universelle au témoignage historique ; il l'a fait de façon tout à fait explicite à l'occasion du Bicentenaire de la Révolution française, dans deux groupes de sculptures, *Marianne et les Révolutionnaires* et *Toussaint-Louverture et la Vieille Esclave*. Et lorsqu'il quitte l'histoire universelle pour évoquer les *Nouba,* les *Masaï,* les *Zoulou* ou les *Peulh,* ses personnages semblent dire en gestes simples la mémoire légendaire de ces peuples qui ont porté depuis des siècles l'histoire de son continent. Sa sculpture est ainsi parole, elle est récit épique à

dimension mythique, elle rejoint la mémoire vivante des temps anciens telle que la content les griots et qu'il a reçue, au sein de sa propre famille, de sa grand-mère maternelle Dior Diop, vieille "femme courage" qui avait vécu et partagé les chevauchées guerrières et les razzias des hommes de sa famille avant la colonisation ; elle porte témoignage et veut inspirer, susciter la réflexion et l'engagement.

Comme pour les Indiens des plaines, le cheval est, dans l'imaginaire africain, un protagoniste essentiel. Youssouf Tata Cissé a récemment rapporté le grand récit mythique de Niâmey l'Eminente, l'aïeule des Wagué fondateurs de l'empire du Wagadou (actuel Ghana) : "Ha ! Quel bonheur insigne Niâmey ne nous a-t-elle procuré ! / J'appelle celle qui veille sur les jeunes et vaillants combattants, chevauchant de mâles destriers, / des destriers déchaînés, / qu'ils nous défendent encore ces jeunes princes wagué !" Le récit du sculpteur, qui est celui d'un ultime combat pour la liberté, rappelle aussi dans son esprit un autre épisode conté par Youssouf Tata Cissé, celui de la fronde ancienne de Soumarowo Fanté "roi des forgerons" qui avait pris les armes contre les esclavagistes, organisant le blocus du Wagadou, et entraînant ainsi la reconquête menée par Soundjata Keïta et la proclamation dans le "Serment du Manden" de l'abolition de l'esclavage et de la traite : "Les gens d'autrefois nous disent : / L'homme en tant qu'individu/ Fait d'os et de chair / De peau et de muscles / De moelle et de nerfs / Se nourrit d'aliments et de boissons / Mais son "âme", son esprit vit de trois choses : / Voir qui il a envie de voir / Dire ce qu'il a envie de dire / Et faire ce qu'il a envie de faire / Sans pour autant nuire à autrui / Si une seule chose venait à manquer à l'âme, / Elle en souffrirait / Et s'étiolerait sûrement. / En conséquence les chasseurs déclarent : / Chacun dispose désormais de sa personne. / Chacun est libre de ses actes, / Dans le respect des "interdits", des lois de la Patrie. / Tel est le serment des chasseurs / A l'adresse des oreilles du monde tout entier." L'admirable valeur universelle de ce texte renvoie à l'adresse de Crazy Horse, chef sioux Oglala, aux hommes blancs lors de sa capture, en 1877, un an après la bataille : "On ne vous a pas demandé de venir ici. Le Grand Esprit nous a donné ce pays pour y vivre. Vous aviez le vôtre. Nous ne nous gênions nullement. Le Grand Esprit nous a donné une vaste terre pour y vivre, et des bisons, des daims, des antilopes et autres gibiers. Il devient impossible pour nous de vivre. Maintenant vous nous dîtes que pour vivre il nous faut travailler : or le Grand Esprit ne nous a pas faits pour travailler mais pour vivre de la chasse. Vous autres Hommes blancs, vous demandez : pourquoi ne devenez-vous pas civilisés ? Nous ne voulons pas de votre civilisation ! Nous voulons vivre comme vivaient nos pères et leurs pères avant eux". La réponse fut donnée quelques années plus tard, en 1881, au Congrès, par le sénateur Pendelton de l'Ohio : "Ou bien les Indiens doivent changer leur mode de vie, ou bien ils doivent mourir. Nous pouvons le regretter, nous pouvons désirer qu'il en soit autrement, nos sentiments d'humanité peuvent être choqués par cette alternative, mais nous ne pouvons nous cacher le fait qu'il s'agit d'une alternative et que ces indiens doivent changer leur mode de vie ou être exterminés". Elle fut confirmée en 1887 par le Dawes Act et par ses implications.

Ousmane Sow est maintenant au cœur du désastre qui est né, dans un premier temps, de sa lecture de la bataille de Little Big Horn. Comme un qui connaît intimement la douleur des corps, il se déplace silencieusement d'un cadavre à l'autre, l'observe, le dévisage, et d'une main attentive, efficace, guérisseuse, peu à peu restitue les chairs, enrichit le modelé, introduit les tensions qui donnent vie à la forme. Un œil apparaît et s'éclaire, un visage s'écrit, un cheval se redresse et hennit, deux corps s'étreignent. Il n'est pas possible aujourd'hui de présumer de l'apparence définitive de l'ensemble, et le sculpteur lui-même l'ignore. Ses personnages peu à peu vont s'éveiller, à l'ombre du "sphinx", sous ses doigts et ils imposeront en quelque sorte la tonalité spirituelle définitive du groupe ; ils s'inscriront dans une scénographie qui, à l'issue de son travail, connaîtra encore des mises en scènes diverses selon les lieux et les publics qu'ils rencontreront. C'est sans doute là l'un des caractères singuliers de son travail : sur le Pont des Arts, puis ailleurs à travers le monde, dire et révéler l'injustice dans une approche toujours renouvelée de l'expression formelle et spatiale, susciter l'émotion des grands textes immémoriaux qui gouvernent l'humanité. L'Afrique est désormais lointaine, sans doute présente par cette capacité paradoxale du sculpteur de commémorer en échappant finalement au temps, d'énoncer la gravité de la vérité en chantre et en poète. Ousmane Sow insuffle à sa poignante mélopée une triomphante tendresse.

Germain Viatte

Ce texte a été écrit à la suite de la visite rendue par l'auteur à Ousmane Sow à Dakar, le 25 avril 1998.

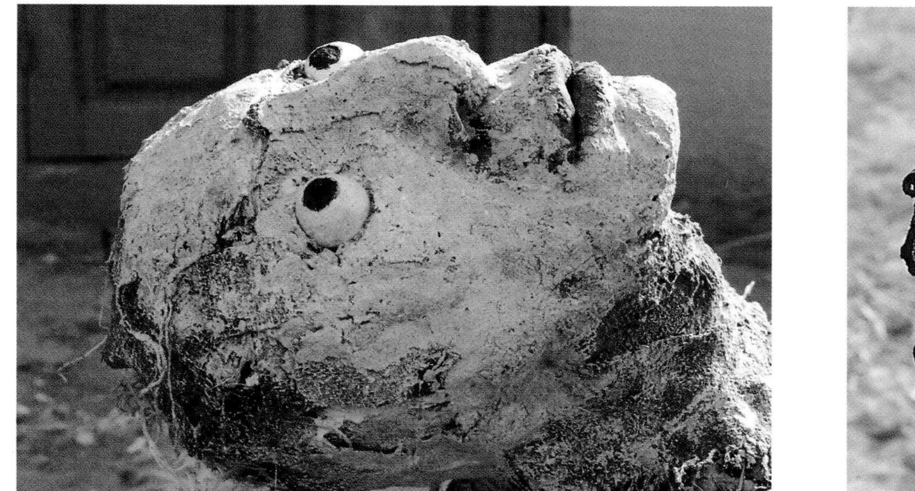

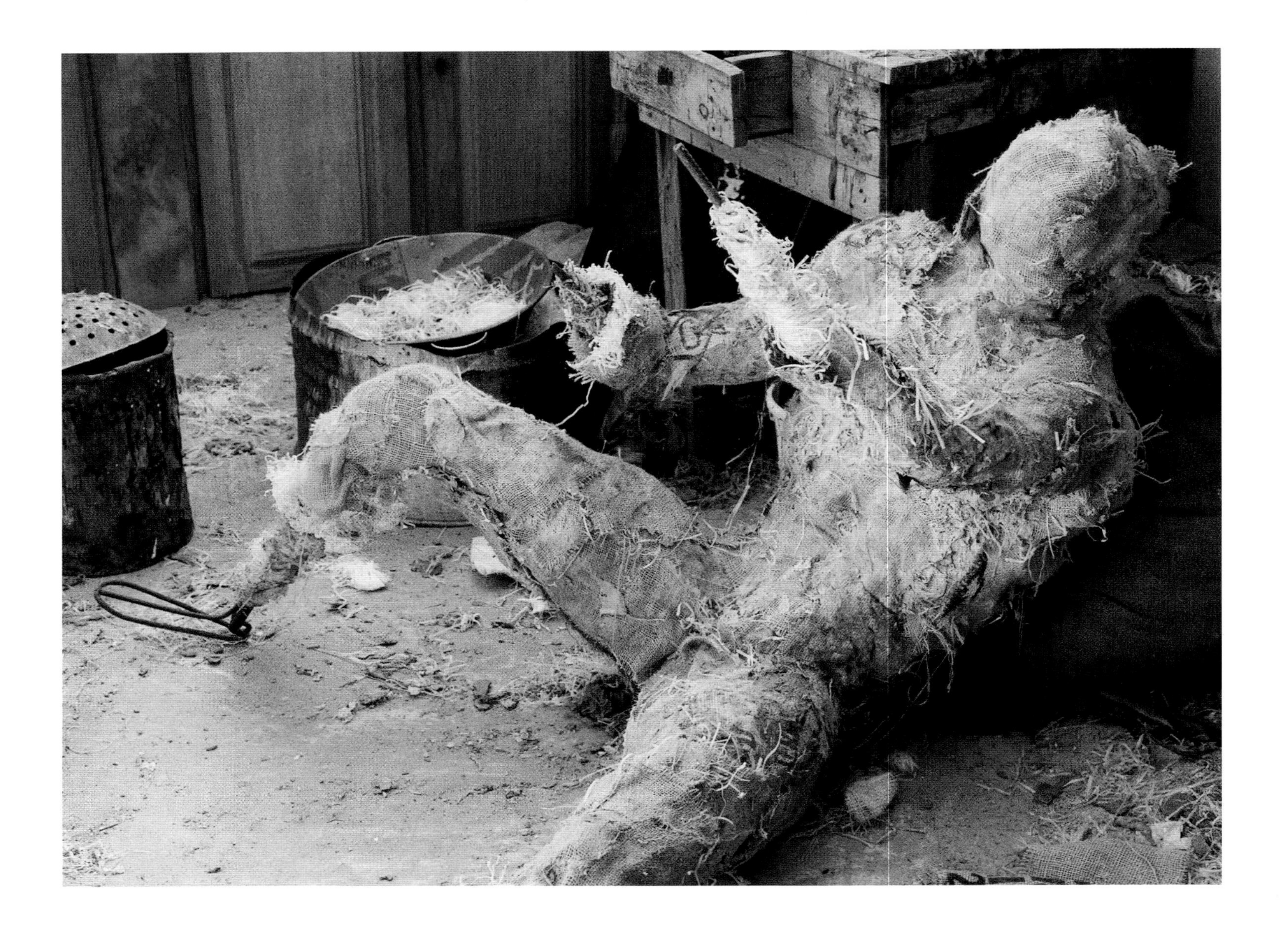

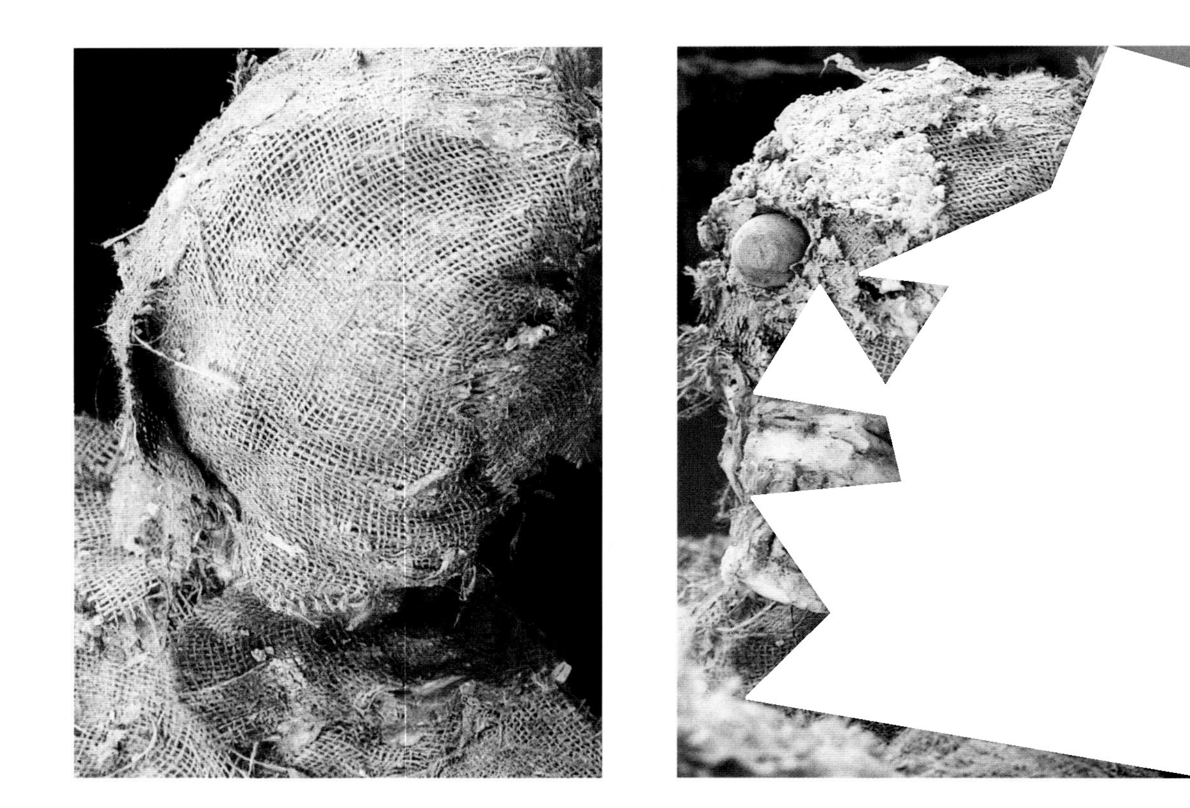

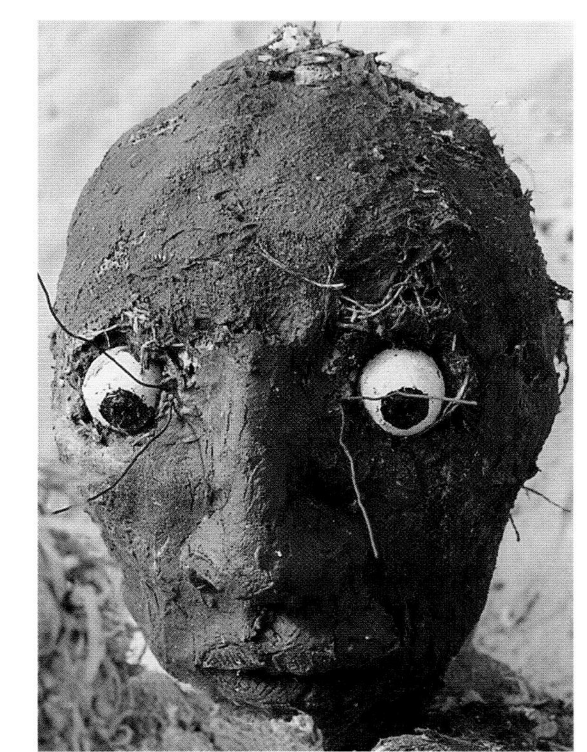

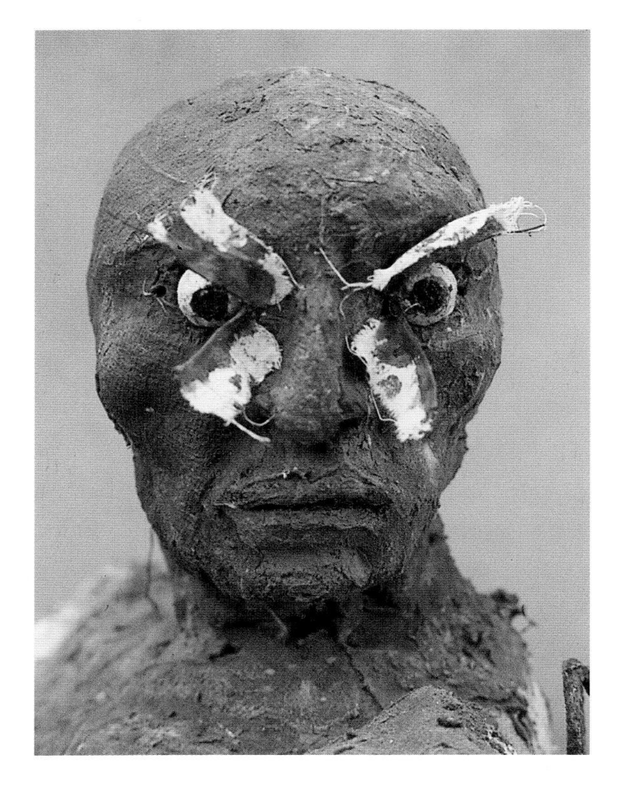

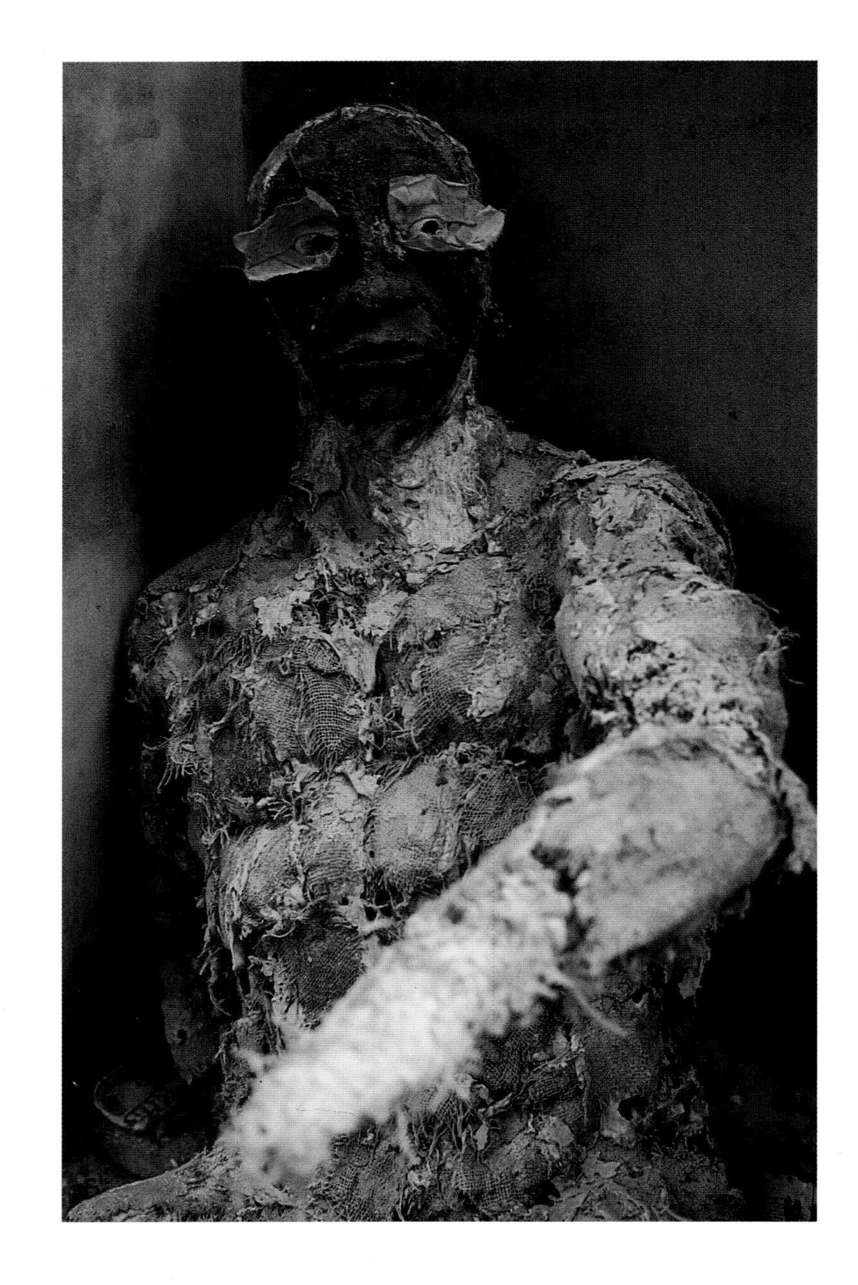

L.P.M.

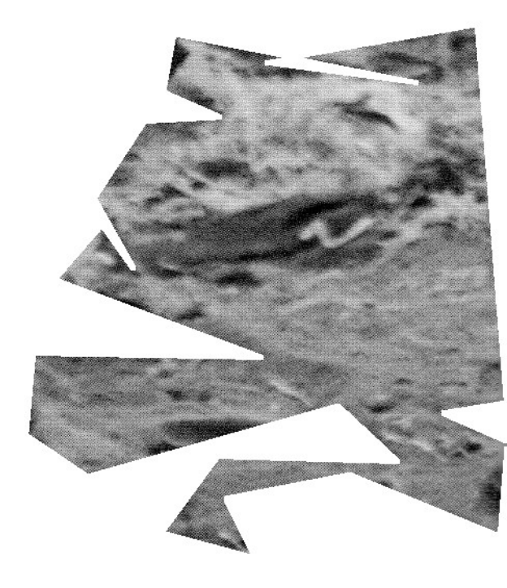

Maître Sow

Une chaleur inhabituelle pour un mois de décembre étouffe Dakar. La brise rafraîchit à peine la maison encore inachevée, située au bord de l'océan. Le ciel est bleu foncé. Quelques busards planent au-dessus des grandes demeures. Sur le chemin de terre battue et de sable une carriole conduite par un enfant dépenaillé et tirée par un âne croise un véhicule tout-terrain flambant neuf, levant dans son sillage un nuage de poussière ocre dans lequel s'envolent des lambeaux de sac en plastique de couleur bleu-roi.
Les gouttes de sueur perlent sur le front, se mêlent à la poussière et brûlent mes yeux. Le moindre geste éprouve ma résistance. Je suis accoudé au balcon ; je regarde la cour de la maison couverte de sable aux nuances jaspées ; j'observe Ousmane Sow sculptant, le visage caché par un masque à gaz, la main gauche armée d'un chalumeau oxhydrique et la droite, protégée dans un lourd gant de cuir, modelant de la paille de plastique fondue sur le torse d'une statue ébauchée.
Je le vois de dos, légèrement de trois-quarts, assis sur un tabouret de bois rudimentaire, le corps penché en avant. Il se redresse régulièrement et contemple son travail. Une large auréole brune se dessine sur le dos de son tee-shirt jaune pâle. Sur le torse du personnage sculpté la forme des muscles apparaît, encore grossière ; dans un petit bac de ferraille le plastique flambe, dégageant un nuage gris nauséabond ; et, au sein de ce silence où se mêlent les cris des goélands, le ressac de l'océan et les rires des femmes dans les jardins voisins, le chalumeau émet un sifflement lancinant.

Quelques années auparavant nous marchons près du nouveau stade de football construit par les Chinois au milieu de la brousse, près de l'autoroute reliant Dakar à son aéroport. Ousmane me conduit à l'endroit où il recueille la terre, une argile rouge nécessaire à la réalisation de ses sculptures. La butte porte, comme des stigmates, les traces des anciens prélèvements. Bien que la terre soit ici partout la même, Ousmane vient en ce lieu éloigné de sa maison, peut-être par superstition, dit-il, peut-être par habitude, ou par fidélité. Il me désigne les trous.
"Il y a dans le sol le témoignage de mes sculptures comme s'il en portait le souvenir. Ici, tu vois, ce sont les *Peulh*, et ici les *Nouba*..."

Ousmane habitait autrefois un quartier plus populaire de Dakar, lui aussi près de l'océan. Il louait une petite maison de béton, entourée d'une cour sablonneuse où il sculptait. On y entendait le bruit des vagues, le vrombissement des mouches, les cris des enfants dans les ruelles et les postes de télévision constamment allumés du voisinage. Sur le mur d'enceinte subsistaient quelques formules cabalistiques hâtivement peintes, presque effacées par le vent et le sel, des chiffres, des lettres, des multiplications, des fractions : la composition secrète du Produit.
Il faut écrire Produit avec un grand P : le mystère entoure sa fabrication. Ousmane l'élabora à partir de substances chimiques récupérées dans les poubelles d'un magasin libanais. Une fois le mélange dosé, le liquide, épais et blanchâtre, repose ("comme le vin", dit-il) dans des barriques de plastique durant plusieurs années, régulièrement touillé et vérifié. Puis il y laisse macérer des lambeaux de toile de jute ou y incorpore l'argile rouge pour obtenir une pâte épaisse ; des premiers (les morceaux de toile imbibée) naîtront les formes, de la seconde (la pâte argileuse) les finitions et les expressions.

Ce jour-là, Ousmane est assis sur un petit banc de bois dans l'une des pièces inachevées de la maison. Un peintre se tient devant lui et exécute ses ordres ; Jacques, le gardien, l'assiste ; du fond de la pièce j'observe la scène. Le peintre tamise du ciment, laissant subsister quelques grumeaux. Ousmane l'engueule, prend le tamis et lui montre ce qu'il doit faire. Le peintre ajoute du pigment ocre jaune, puis du Produit (Ousmane l'engueule parce qu'il en met de trop) et touille ; puis un pot de peinture acrylique rouge que nous venons d'acheter dans une quincaillerie libanaise et touille (Ousmane vérifie la couleur et fait la moue) ;

puis un pot de jaune et touille (autre moue) ; puis un pot de blanc et touille (troisième moue) ; puis à nouveau du pigment ocre jaune et touille (Ousmane touche la mixture avec la main protégée par un gant et paraît rassuré). Le peintre s'écarte alors car c'est à présent Jacques, l'homme de confiance, qui rajoute le Produit nécessaire, opération, me précise Ousmane, extrêmement délicate. Nous sortons de la pièce, Ousmane ouvrant la marche et le peintre la fermant, chargé du seau, et se préparant à tester la mixture (ocre rouge) sur un morceau du toit.

La nouvelle maison d'Ousmane, immense bâtisse s'élevant sur un terrain rocailleux, ressemble à un sphinx aux formes géométriques. Elle est multicolore – ce qui la distingue des autres demeures du quartier, tout aussi monumentales mais désespérément blanches.
L'idée vint un jour à Ousmane d'essayer le Produit, en le mélangeant avec un tas de choses (ciment, peintures, pigments, etc.), sur le toit du garage en béton, modeste préfiguration de la maison future. Non seulement le revêtement résista au vent marin, mais il pénétra dans le béton et l'imperméabilisa. "Plus mes sculptures vieillissent, me dit-il, et plus elles se solidifient ; je vais donc recouvrir ma maison de Produit." Il me montra la maquette, un secret à cette époque jalousement gardé, et suscitant dans Dakar les rumeurs les plus fantasques – l'une d'elles précisait même qu'il s'agissait d'un ballon de football. Comme je lui demandais le nom de l'architecte, il me répondit que la construction de sa propre maison était une chose beaucoup trop importante pour être confiée à un architecte.
Je ne compris pas immédiatement. La structure de la maison achevée, Ousmane laissait les pièces intérieures brutes mais consacrait beaucoup de temps aux peintures extérieures, sculptait dans le jardin mais retournait chaque soir dormir dans son ancienne demeure, et mettait au point, à partir du fameux Produit, des grandes dalles (elles aussi multicolores) destinées à recouvrir le sol des balcons, puis, beaucoup plus tard, à carreler les pièces. Cette dernière invention m'éclaira. Accoudé à la rembarde, j'observais Ousmane dans la cour : il découpait dans des vieux sacs de riz des lanières de toile de jute qu'il trempait dans le Produit. Mes pieds reposaient sur les dalles ; je réalisai qu'ils foulaient une parcelle de la sculpture ; la maison entière était une sculpture.

Nous sommes assis sur le toit ; nous regardons l'océan. Ousmane se tait. Son corps oscille d'avant en arrière. Les minutes passent. Les heures passent. Ousmane médite, les yeux dans le vide, sans que je parvienne à deviner le fil de ses pensées. Méditer, m'a-t-il dit, c'est laisser aller son esprit librement. Sur le toit, caressé par la brise, je tente de laisser aller mon esprit, mais le soleil, le vol d'un goéland, le passage d'une carriole conduite par un enfant me perturbent. J'essaie de retrouver le fil de mes songes. Je ne médite plus. Le vent se lève et l'océan rugit. Ousmane se redresse.
"C'est drôle comme ça te remplit une vie...
Bien je connaisse la réponse, je demande :
– Quoi ?
Ousmane prend un air agaçé.
– Eh bien, la sculpture !"

Le marché HLM, situé à l'ouest de la ville dans un quartier populaire, étend ses déballages de vêtements et d'objets divers sur des milliers de mètres carrés. Une foule bruyante s'y approvisionne, discute les prix, passe du sérieux aux rires, de la colère aux rires, des rires aux rires. Au centre du marché se trouve une halle composée d'un dédale de venelles sombres bordées de minuscules boutiques, Ousmane avance dans les ruelles à grandes enjambées. Il marche lentement. Il s'arrête enfin devant une vieille femme assise par terre à côté de poteries et de bijoux. Il acquiert, presque sans dicuter le prix, un encensoir en terre cuite. "C'est pour la salle de méditation", me dit-il. Un peu plus loin, à la lisière du marché, nous achèterons de l'encens.

Depuis la construction de la maison, la plupart de nos discussions se déroulent sur le toit, face à l'océan – ou, si l'on se réfère au sphinx : sur son dos. La patte arrière droite est une salle carrée, d'environ sept mètres de côté, dont le toit-terrasse se situe à la même hauteur que le dos du sphinx. Elle est, comme les *penthouses* des immeubles new-yorkais, indépendante du reste de la maison. Un balcon l'entoure, où il est interdit de fumer ("C'est la règle", dit Ousmane) et où le sculpteur, l'après-midi, fait sa sieste allongé sur un banc de bois recouvert de coussins de cuir. On doit retirer ses chaussures (toujours la règle) avant d'entrer à l'intérieur de cette pièce peinte en bleu nuit, pourvue de six fenêtres, d'une porte et d'une porte-fenêtre, et dont le sol est recouvert de dalles de Produit dessinant un damier bleu et ocre-jaune. Chaque matin, Jacques apporte des braises et les verse dans l'encensoir de terre cuite. Ousmane place ensuite dessus l'encens frais : des petites boules de pâte rouge foncé et grasse qui grésillent en dégageant une fumée bleutée et odorante.

"Je voulais te prêter la voiture mais le moteur tousse."
Ousmane prend un air inquiet, émet l'hypothèse d'une poussière dans le carburateur et soupire. Il s'agit d'une Ford récente, victime d'un ennui assez banal dans ce pays où les pompes à essence en attente de ravitaillement vident leurs fonds de cuves. A ses côtés patiente la merveille : une CX – Palace ou Prestige, je ne sais plus –, "la même que Chirac", dit Ousmane, d'une couleur indéfinissable où se mêlent les verts : eau, kaki, feuille séchée, bronze, etc. Elle ne cesse de tomber en panne mais Ousmane l'adore : ainsi décorée, elle ressemble à l'une de ses sculptures.
Ai-je le mauvais œil ? Chaque fois que je viens à Dakar, la voiture d'Ousmane – quelle que soit la voiture ! – fait un caprice. Cela devient entre nous un sujet de plaisanteries. Je l'ai accompagné un jour chez le garagiste et j'ai écouté, avec bonheur, une conversation en wollof ponctuée de mots techniques français : carburateur, boîte de vitesse, filtre à air, etc. Ici les pièces manquent et les mécaniciens adaptent : l'embrayage d'une Renault sur une Citroën, par exemple. La durée de vie du bricolage en devient aléatoire : une heure ou dix ans.
Un autre jour, Ousmane cherche désespérément une chignole électrique dans un immense souk d'outillage. Le mot passe entre les boutiques et bientôt les rabatteurs abordent Ousmane et l'entraînent vers leurs échoppes où les commerçants proposent tous une liste impressionnante d'objets dans laquelle ne figure bien sûr pas la fameuse chignole électrique. Toutes les conversations s'achèvent par une même phrase qu'Ousmane finit par me traduire. "Ils disent qu'il y en a mais que ça manque. Tu entendras toujours ça en Afrique : il y en a mais ça manque."
J'ai plusieurs fois accompagné Ousmane dans Dakar à la recherche de fer à béton, d'outils, de peinture, de ciment ou d'encens. Il y en avait toujours mais ça manquait parfois. J'ai compris que ces déambulations, comme les pannes des voitures, appartenaient à la vie africaine, à sa poésie, à ses incertitudes – pour les Occidentaux souvent insupportables, et pour Ousmane comme l'assurance d'une humanité possible.

"Le matin, je me mets là, sur le balcon entourant la salle de méditation, face à la mer, et je réfléchis. Ou bien en bas, sur le balcon de la bibliothèque, toujours face à la mer et je modèle des accessoires : une main, une arme. L'après-midi, après la sieste, à partir de quatre heures je travaille dans la cour.
– Tu n'as jamais eu d'atelier ?
– Si : ma cour. Où veux-tu que j'aille ? Que je parte chaque matin à mon atelier comme si j'allais à l'usine ? Je n'ai jamais envisagé de sculpter ailleurs que dans ma maison.
– Je veux dire : un atelier couvert, fermé ?
D'un geste du bras il me montre le paysage, le ciel bleu où planent quelques busards, le vent qui agite les feuilles des palmiers, des nims, des tamaris et des filaos, les bougainvilliers et les lauriers en fleurs, les vagues écumantes s'écrasant sur les immenses rochers noirs.
– Je ne vois pas pourquoi j'irais m'enfermer pour sculpter !"

"Que tu sois venu de si loin pour me voir, je n'arrive pas à y croire : c'est un très grand honneur."
Ousmane sourit, cherche pudiquement à masquer sa fierté mais n'y parvient pas (je reverrai ce même sourire, à la fois gêné et ravi, lorsque les passagers d'un car rapide le reconnaîtront). Nous nous sommes rencontrés une première fois à Paris quelques mois plus tôt, grâce à Pierre Gaudibert. Je viens d'arriver à Dakar, au début de l'été, peu avant l'hivernage ; l'air chaud se charge d'humidité et la brume tamise la lumière et opacifie l'horizon. J'apporte avec moi une bouteille de Bordeaux et le livre de Bonnefoy sur Giacometti, le sculpteur préféré d'Ousmane. Je découvre la cour de la petite maison envahie de sculptures ébauchées, de fers à béton tordus dont les courbes évoquent déjà des silhouettes humaines, de petits paquets de pailles noués (avant de découvrir les vertus du chalumeau oxhydrique, Ousmane cousait ces petits paquets entre eux afin de donner à la sculpture son volume) et de seaux remplis d'une mixture étrange, épaisse, fluide et noirâtre. Le lendemain Bouna Medoune Seye, un photographe sénégalais, m'accompagne. De nature exubérante, il affiche en pénétrant dans la cour une timidité inhabituelle. Il marche à petits pas derrière moi, le corps voûté et, lorsqu'il se retrouve face à Ousmane, il prend la main du sculpteur, la porte à son front et dit avec déférence : "Maître Sow".

Olivier Cena

La bataille de Little Big Horn

La journée s'annonçait paisible pour les sept cercles tribaux de quelque quinze mille Sioux et Cheyenne rassemblés le long de la rivière Little Big Horn.
Chacun vaquait à ses occupations, les femmes ramassaient des navets, les hommes s'apprêtaient à célébrer une danse, et le chef Two Moon emmenait les chevaux boire à la rivière. Sans se douter que les généraux Reno, Beenten et Custer, à la tête de la tristement célèbre Septième Cavalerie, se préparaient à les attaquer. C'est pourtant ce jour-là que les Indiens remporteraient leur plus importante mais aussi leur dernière victoire.

Le 2 juillet 1868

Huit ans plus tôt, les Indiens *Lakota* (du nom de leur territoire du *Dakota* – le nom de Sioux fut inventé par l'homme blanc), rassemblés sous la bannière de leurs chefs Red Cloud et Spotted Tail, avaient signé à Fort Laramie un traité censé protéger leur territoire du Wyoming, à l'ouest du Missouri et à l'est des Monts Big Horn dans le Montana. Et cela "tant que le soleil brillera et que l'herbe poussera".
Ce traité stipulait encore "qu'aucune personne de race blanche ne sera autorisée à établir ou à occuper aucun lieu du dit territoire, ou, sans avoir obtenu la permission des Indiens, à y passer."

Pourtant, lorsqu'en 1874 le général Custer et ses hommes découvrirent de l'or dans les Blacks Hills lors d'une expédition, on s'empressa d'oublier cet accord.
Dès 1876, le traité se transforma en déclaration de guerre : "Hors des limites bien définies de leurs réserves, les Indiens sont sous le contrôle exclusif des militaires et sont systématiquement considérés comme hostiles."
Le ministère de la Guerre, réuni en congrès à Washington, ordonna alors au général Sheridan (celui-là même qui allait affirmer quelque temps plus tard "qu'un bon indien est un indien mort") de déporter les tribus Sioux et Cheyenne dans des réserves.
Sitting Bull (issu du cercle des Hunkpapa qui refusait le plus catégoriquement la civilisation des Blancs) et Crazy Horse, Sioux oglala, depuis longtemps alliés, tentaient de résister au Traité de Fort Laramie qu'ils rejetaient.

C'est à la suite de ce traité de 1868 que les cinq cercles tribaux des Sioux s'installèrent le long des rives de Little Big Horn ; il s'agissait des Hunkpapa, des Minneconjou, des Oglala, des Sans-Arc et des Brulés, auxquels s'étaient joints quelques Blackfeet, ainsi que les Cheyenne du Nord et leur chef Two Moon.
Ces camps ne comptaient pas moins de trois mille guerriers, à l'exclusion des femmes, des enfants et des vieillards. Leurs chefs portaient les noms aujourd'hui mythiques de Sitting Bull, Crazy Horse et Chief Gall.
A trente-sept ans, Sitting Bull, le shaman, "l'homme médecine", était devenu le chef suprême des Sioux. Lors de la Danse-du-Soleil – au cours de laquelle le chef sioux endure de grandes souffrances physiques par compassion pour la douleur humaine et fixe le soleil en face pour implorer la pluie –, il avait eu la vision de soldats s'abattant par centaines au milieu d'eux. C'est ce qu'il advint.

Le 25 juin 1876

Ce jour-là, le général Custer, surnommé Fesses-Dures ou Cheveux-Longs, avait décidé "d'en finir" avec les Indiens.
En fait, sa véritable ambition était de devenir président des Etats-Unis à l'instar d'Ulysse Grant, président en exercice qui lui-même se faisait appeler le Père-de-tous.
Les traîtres éclaireurs Crow et Arikara l'avaient pourtant prévenu que les Indiens

---

Sitting Bull en prière

dépassaient largement en nombre les quelque trois cents soldats de la Septième Cavalerie. Mais son ambition démesurée le rendit sourd à cet avertissement, et il décida d'attaquer sans attendre les renforts. Il envoya Reno attaquer par le sud de la rivière.

Alertés par un nuage de poussière remontant le long de la rivière, les Sioux et les Cheyenne, et notamment leur chef Two Moon, mirent très rapidement au point une stratégie.
Tandis que Sitting Bull mettait les femmes et les enfants à l'abri, Two Moon, rassemblant ses hommes en un éclair, réussit avec l'aide de Gall, chef sioux hunkpapa, à faire battre en retraite les troupes de Reno.
Gall et Crazy Horse prirent en étau celles de Custer et de Beenten qui arrivaient par le nord. Ces troupes vinrent, comme dans la vision de Sitting Bull, tomber en pluie au milieu d'eux.

Qui tua Custer ? On ne le saura jamais vraiment. A la fin de sa vie, White Bull allait revendiquer cette mort qu'il n'avait, dit-il, jamais voulu avouer plus tôt par peur des représailles.
Les témoignages indiens concordent sur le fait que Custer s'était battu vaillamment jusqu'au bout. Il fut assommé par un Indien qui, après un corps à corps (seul combat digne de ce nom pour les Sioux), l'avait achevé à bout portant.
Seuls survécurent à ce carnage les hommes de Reno, réfugiés sur les crêtes alentour, en aval de la rivière, cachés dans un bois de cotonniers. Ils rebroussèrent chemin.
Bien qu'ayant appris l'arrivée des renforts qui avançaient sur Little Big Horn, les Indiens, qu'intéressait peu la guerre pour la guerre, avaient levé le camp et remonté la vallée vers les Monts Big Horn avant le coucher du soleil.

Sitting Bull les avait mis en garde : "Tuez-les, mais ne prenez pas leurs fusils, ni leurs chevaux. Ne les dépouillez pas. Si vous fixez vos cœurs sur les biens des Blancs, cela provoquera une invasion de cette nation."
Après la victoire, apprenant que certains Indiens avaient dépouillé les corps, il avait ajouté : "parce que vous avez pris les dépouilles, vous convoiterez désormais les biens de l'homme blanc, vous serez à sa merci, il vous affamera."

Quatorze ans plus tard, sa prédiction allait de nouveau s'avérer exacte : les Indiens furent définitivement exterminés à Wounded Knee, et avec eux l'espoir de tout un peuple.

B. S.

La charge de Ishi'eyo Nissi (Two Moon)

Le clairon

La riposte de Piz'i (Chief Gall)

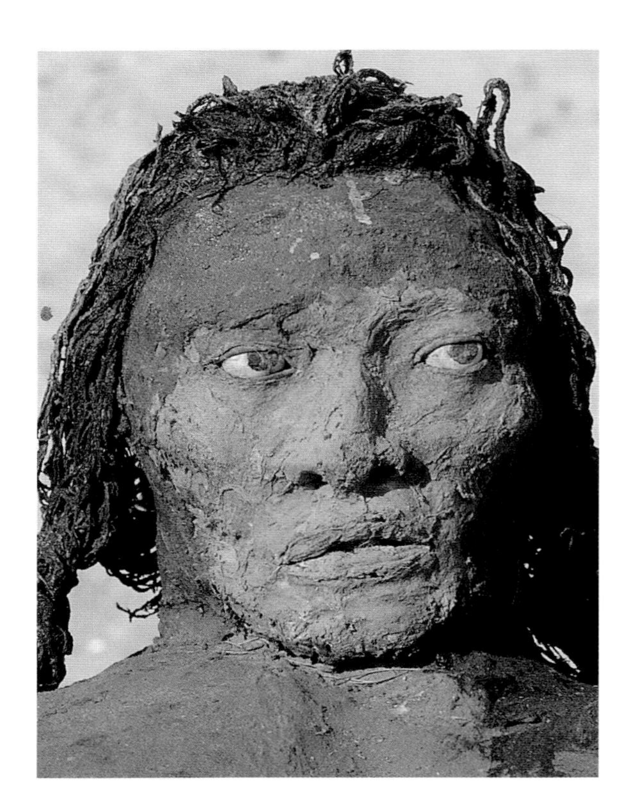

Soldats dos à dos

Indien blessé

Cavalier désarçonné

La fin d'un parcours

Tazsunke Witko (Crazy horse) est assailli

Tashna Mani (Moving Robe)

Corps à corps au couteau

La mort de Custer dit "Cheveux longs" (Pehin Hanska)

Scène de scalp

Indien dépouillant un soldat mort

La retraite d'un soldat

La salle de méditation

Entretien inachevé

Marie-Odile Briot : Les Nouba, les Masaï, les Peulh, les Zoulou... Vous m'avez dit que, contrairement aux idées reçues, les peuples africains sont extrêmement mélangés, Alors, pourquoi en avoir choisi quatre parmi cette diversité ? Représentent-ils toute l'Afrique ?

Ousmane Sow : Je suis toujours étonné lorsqu'on me pose des questions sur le "pourquoi" des choses. Il n'y a aucune logique dans ma démarche. Seule ma sensibilité me guide. Je ne peux donc pas répondre lorsqu'on me demande pourquoi les Indiens et pas les Samouraï ?
Les Masaï, ce fut un choix. Les autres aussi, ils ont suivi, parce que cela me plaisait de les sculpter, et que cela plaisait aussi aux gens de venir les voir. J'ai essayé de rester fidèle à l'histoire de chaque peuple, que j'ai étudiée avant de m'attaquer à chacune des séries. Il existe beaucoup d'autres peuplades en Afrique. Dans toute l'Afrique, on trouve des Peulh, peuple de pasteurs. Les Masaï ont aussi le type Peulh. On en trouve également au sud de l'Afrique.
Au Sénégal, il y a différentes ethnies. Je pourrais exploiter à l'infini les mœurs de chaque ville, de chaque pays et en sortir au moins deux ou trois ethnies susceptibles de faire l'objet d'une série de sculptures.

M.-O. B. : Le principe de la série signifie-t-il que vous refusez l'idée de "statue", de "portrait" destinés à la place publique ?

O. S. : Si ça ne tient qu'à moi, oui. Mais je peux aussi répondre à une commande. Si, un jour, quelqu'un me dit qu'il aimerait une sculpture pour sa maison, sans me dire ce qu'il veut, je peux le faire.
Je n'aime pas les sculptures personnifiées ni les groupes de sculptures sans rapport les unes avec les autres.

M.-O. B. : C'est souvent le lot de la commande publique...

O. S. : Oui, mais moins maintenant. Par exemple, dans les commandes passées à César, l'artiste a eu la possibilité de s'exprimer. Dans les sculptures modernes que j'ai pu voir en France, on sent le plus souvent que l'auteur en a été le concepteur d'un bout à l'autre. On a dû leur montrer l'emplacement qu'ils occuperaient, comme on l'a fait pour moi au Japon.

M.-O. B. : Au Japon, on vous a montré l'emplacement choisi et on vous a laissé faire ce que vous vouliez ?

O. S. : Oui. On m'a donné carte blanche, alors j'ai accepté. Bien entendu, par correction, j'ai fait un dessin, un croquis, pour leur montrer ce que j'allais faire.

M.-O. B. : Avez-vous une vision précise de ce que vous voulez obtenir ?

O. S. : Oui, sinon je tergiverserais, je changerais. C'est pour ça que je ne dessine pas. Si vous dessinez, l'œuvre est déjà terminée. Vous êtes obligé de revenir à votre dessin. Alors qu'en sculptant directement vous lui laissez une liberté. Vous pouvez être agréablement surpris ; l'objet bouge dans la tête et vous en avez la maîtrise de A à Z.

M.-O. B. : Ce qui me frappe là-dedans, c'est votre refus du système...

O. S. : Ce n'est pas un refus. Un refus, c'est connaître quelque chose et dire "je n'en veux pas." Moi, le système, je ne le vois pas. De temps en temps, des échos me parviennent. Cela m'ancre dans ma détermination, dans mon choix.
Je ne m'intègre pas. Parfois cette attitude est assez dure pour celui qui n'y est pas préparé. On surprend des regards hostiles. Si j'entre dans le système, je vais devenir malade. Je préfère donc ne pas y entrer.

M.-O. B. : Je ne pensais pas uniquement au système social. Vous m'avez dit "la vie n'a pas de logique." Ce n'est peut être pas un refus, mais une sensation, une conviction, que les choses ne se développent pas selon des modèles préconçus ?

O. S. : Cela se rejoint. Il ne faut pas refuser le système social, puisqu'on est obligé de vivre en société. Mais je l'accepte de moins en moins. Accepter un système, c'est déjà avoir une vie ordonnancée. Des repères sont établis, et il faut respecter des règles. On peut très bien être en dehors des systèmes, même sur le plan artistique, ne pas s'intégrer.
Par exemple, dans le domaine de l'art, il y a des filières qu'il faut respecter. A partir de là, on est, ou non, reconnu, mais on a la satisfaction de ne pas être marginalisé. Si on se dit que ça vous apporte plus d'inconvénients que d'avantages, je pense qu'il vaut mieux arrêter, mais sans agressivité. Vu de l'extérieur, cela peut ressembler à un refus du système.

M.-O. B. : Vous dites que vous ne dessinez pas, sauf lorsque c'est nécessaire...

O. S. : Je sais dessiner, mais j'avais oublié que je savais dessiner. C'était ma matière favorite à l'école primaire. Pour les japonais j'ai fait le dessin avec facilité. Mais, cela ne m'intéresse pas tellement.

M.-O. B. : Quand vous êtes passé des petites sculptures articulées aux grandes, avec la création des *Nouba,* combien de sculptures avez-vous détruites avant qu'on ne vous en empêche ?

O. S. : Je n'ai pas tenu la comptabilité des œuvres que j'ai détruites. Cela fait partie des choses que j'ai faites instinctivement, parce que cela ne correspondait pas à ce que je voulais. Mais ça me paraît tellement naturel de faire ce qui me plaît. Si une œuvre ne me plaît pas, même si les gens pensent le contraire, je dois avoir le courage de la détruire.
Par exemple, je viens de détruire un cheval de la série des *Indiens,* celui qui a la tête levée, parce qu'il était trop lourd, trop mou d'aspect. Ça ne correspondait pas à ce que je ressentais. Cela peut encore m'arriver avant la fin de la création de la série des Indiens.

M.-O. B. : Votre inspiration, vos scènes sont-elles nées d'une révolte contre les idées reçues ?

O. S. : Il y a ceux qui n'aiment pas, tant pis. Il y en a qui m'aiment, tant mieux. Ça n'est pas ce qui me fait fonctionner. Quand je témoigne à quelqu'un de l'affection, je souhaite qu'il sache que c'est sincère.

M.-O. B. : Vous n'aimez pas l'hypocrisie...

O. S. : Je crois que ce que je déteste le plus, c'est l'hypocrisie et la méchanceté gratuite. On n'est pas obligé d'être méchant quand on n'aime pas quelqu'un. Mais, il est peut-être vrai que, comme vous le dîtes, je suis un peu révolté. Quand je rencontre l'hypocrisie, je m'en éloigne, je ne cherche pas à la voir. J'assume cet éloignement, parce que j'y trouve la quiétude.

M.-O. B. : Est-ce là que vous trouvez l'art aussi ? Cette quiétude semble correspondre à une philosophie personnelle, un retrait du monde...

O. S. : Je ne vis pas retiré du monde, car j'aime voir les gens. Certains ont besoin de se retrouver avec beaucoup de monde, de parler de choses et d'autres. Peut-être ont-ils peur de se retrouver face à eux-mêmes, cela doit les aider. Moi, au contraire, je recherche la solitude, c'est là que je me réalise. Je ne m'ennuie jamais avec moi-même.

M.-O. B. : En somme, vous faites davantage confiance à votre exigence qu'à celle des autres...

O. S. : Oui, et c'était déjà le cas quand j'étais jeune. C'est curieux, cette confiance je ne l'ai pas acquise en vieillissant. J'ai toujours eu énormément confiance en moi, c'est une constante. Au point que, quand j'étais gosse, si on me demandait de décrocher la lune, je mettais mes babouches pour essayer d'y aller. En vieillissant, je mets toujours la barre assez haut et je me lance des défis.

M.-O. B. : C'est une sorte de mélange, ou d'alternance, de sûreté – peut-être d'orgueil – et de modestie...

O. S. : Cela m'est vraiment utile de me dire après coup : si tu l'as fait c'est que quelqu'un d'autre peut le faire. Il paraît que, quand les guerriers romains rentraient victorieux, l'esclave qui portait la couronne de lauriers au-dessus de leur tête, leur répétait "n'oublie pas que la gloire est éphémère". Je trouve cela fantastique.

M.-O. B. : Vous n'iriez tout de même pas jusqu'à penser que, vos sculptures, tout le monde peut les faire ?

O. S. : Mais pourquoi pas ? Il y aujourd'hui des gens de vrai talent qui rentrent chez eux, s'essaient à la sculpture et, comme moi auparavant, ne les montrent pas.

M.-O. B. : Sûrement... Vous n'êtes pas le seul artiste au monde.

O. S. : Il ne faut justement pas se dire que l'on est unique. Il y a des gens qui sont morts dans l'exercice de leur fonction, et dont on a découvert plus tard qu'ils étaient aussi des poètes. Ils n'ont pas eu la chance de se faire connaître, ou ne l'ont pas voulu, égoïstement.

M.-O. B. : Vous employez le mot "égoïstement". Vous dîtes que vous travaillez sur ce qui vous intéresse, je me demandais si vous iriez jusqu'à dire "il faut faire ce qu'on désire". Etes-vous dans une logique du désir ? Pensez-vous que ce qui vous pousse à vous intéresser à la sculpture est un peu mystérieux, comme une force qui vous traverserait et dont vous n'auriez pas la totale maîtrise, sinon la conscience ? Une sorte de vocation...

O. S. : Non, j'ai la parfaite maîtrise de ce que je fais. Je pense plutôt à une sorte d'état de grâce, qui fait que l'art occupe votre pensée à tel point que la maladie, la pauvreté, tout ce qui embarrasse les gens, n'a plus de prise. Je pense être vraiment immunisé quand je suis en phase de création. C'est d'autant plus vrai pour moi que j'ai vécu une vie normale, assurant mes huit heures de travail et attendant qu'on me paie le service rendu. Dans l'art, cette notion disparaît complètement.
Je pense que l'amour conduit aussi à cette exaltation. La seule différence c'est que l'exaltation de l'amour s'atténue tandis que celle de l'art se renouvelle. Par exemple, hier quand je me suis levé, j'ai mangé sans savoir ce qu'on avait mis dans mon assiette, parce que j'avais en tête d'essayer quelque chose. C'est un moment d'exaltation, mais une fois terminé, je me sens bien. Mais je ne crois pas qu'on puisse être artiste 48 heures sur 40. D'abord je ne tiendrai pas.

M.-O. B. : A partir de quel moment vous êtes vous senti un artiste ?

O. S. : Après mon travail et le dimanche je faisais de la sculpture. Puis, je me suis aperçu que, même quand je ne faisais rien, j'y pensais. A Montreuil dans mon cabinet, entre deux clients, je faisais de la sculpture. Une transformation était en train de se faire, c'était devenu une activité qui commençait à me prendre du temps.

M.-O. B. : Quand vous avez commencé, y avait-il déjà une philosophie, une conception de l'art qui s'élaboraient en même temps ?

O. S. : Je pense avoir acquis ma philosophie de l'art plus tard, quand j'ai décidé de passer d'un emploi, si je puis dire, raisonnable, à un métier artistique. Mais les choses ne vont pas de soi.
Là où, vraiment, il y a une totale modification, c'est que, quand j'étais kiné on me payait. En tant qu'artiste je n'attends pas cela. C'est d'abord une satisfaction. J'aurais pu ne pas vendre et continuer à sculpter. La notion d'argent a complètement disparu.

M.-O. B. : Quel est votre rapport à la figuration ? Avez-vous, dès votre enfance, "bidouillé " les matériaux pour créer des personnages ?

O. S. : Oui, car je pense que l'art est un mode d'expression. Je crois que, quand on parle, c'est pour être compris. Si vous faites de l'art et que les gens ne le comprennent pas, ils ne peuvent pas s'y intéresser.
Quand on me demande ce que je vais faire, ce que je veux dire, ça ne me gêne pas. Ce qui est gênant, c'est de parler dans le vide ou de se parler à soi-même.

M.-O. B. : Avez-vous toujours fonctionné ainsi depuis votre enfance, votre jeunesse ? Avez-vous cherché un mode d'expression "accessible" ?

O. S. : Oui, et j'ai tellement peur qu'on ne me comprenne pas, ou qu'on interprète mal ce que je dis, que je parle très directement.
C'est la même chose pour l'art : je n'aurais pas pu faire de l'abstrait, ou alors j'aurais pris le parti du décoratif.

M.-O. B. : Ne pensez-vous pas qu'il puisse y avoir une certaine spiritualité dans l'art abstrait ?

O. S. : Je ne sais pas. Quand les artistes abstraits alignent des couleurs, quand ils font des formes, ils doivent certainement y penser intensément avant de se lancer. Même quand on fait quelque chose qui n'est aimé que d'une seule personne, c'est déjà quelque chose.

M.-O. B. : Je vous trouve un peu contradictoire : vous avez la volonté de pratiquer votre art comme un langage fait pour être compris, et vous n'avez pas cherché à le montrer. Il a presque fallu qu'on vous force à le montrer.

O. S. : Il faut laisser mûrir son discours. Peut-être que je n'étais pas prêt. C'était un mûrissement, je n'étais pas pressé. Je savais qu'il me faudrait montrer mon travail, mais je ne savais pas où. J'avais des amis qui venaient le voir et cela me suffisait. Ce n'était pas très important pour moi.

M.-O. B. : Quel est le rapport entre votre vie et votre œuvre ?

O. S. : Quand je réussis quelque chose je suis vraiment heureux. Ma vie est conditionnée par cela. Quand j'étais kinésithérapeute je connaissais la voie pour parvenir où je voulais aller, alors que maintenant il y a toujours un tâtonnement.

M.-O. B. : Y a-t'il eu un moment où vous avez décidé que votre vie serait déterminée par votre pratique artistique ?

O. S. : Non, jusqu'à présent ma vie n'est pas déterminée par ma pratique artistique. C'est un ensemble qui crée l'équilibre, la quiétude. J'ai la chance d'être où je suis sans contrainte. La sculpture occupe la part la plus importante de ma vie, mais ce n'est pas l'unique choix.

M.-O. B. : Un débat a beaucoup marqué les années 60-70 : tradition ou modernité. Est-ce quelque chose qui vous a marqué ?

O. S. : Je l'ai vécu mais je ne me sentais pas concerné comme je le suis aujourd'hui. Ce qui est curieux c'est que ceux qui étaient les plus agressifs n'avaient rien à en dire. L'art s'est largement diffusé, et j'ai l'impression que maintenant les gens n'ont plus peur de dire ce qu'ils aiment ou ce qu'ils n'aiment pas.

M.-O. B. : Pensez-vous que les gens ne se laissent plus intimider par le discours officiel ?

O. S. : On ne devrait pas être péremptoire dans ce domaine.

M.-O. B. : A propos de vos sculptures, un journaliste a dit que vous passiez de Giacometti à Rodin...

O. S. : Effectivement, quand il m'a dit cela, je me suis dit "en fin de compte c'est vrai". Pas dans la technique, mais dans le cheminement : une ossature que j'enveloppe ensuite de muscles.

M.-O. B. : Vous admirez les sculptures de Rodin et celles de Giacometti. Ce sont des références pour vous ?

O. S. : Pas seulement. J'aime aussi ce qu'ont fait Bourdelle, Maillol, Camille Claudel. Ce ne sont pas des références, mais simplement des artistes que j'aime.

M.-O. B. : Lorsque vous étiez à Paris, alliez-vous voir ces sculptures ?

O. S. : Oui, j'y allais le plus souvent possible.

M.-O. B. : Qu'aimez-vous chez Giacometti ?

O. S. : Le dépouillement, je crois. Et puis, le côté longiligne de ses sculptures. Il fait de grandes sculptures aux pieds extraordinaires. Si c'était seulement un problème de stabilité, il aurait très bien pu mettre un socle et faire des pieds normaux. Il y a chez lui l'exagération et le dépouillement. Et il arrive à faire des sculptures très parlantes. C'est vraiment le génie à l'état pur.

M.-O. B. : Et chez Bourdelle ?

O. S. : La masse.

M.-O. B. : Et chez Maillol, c'est aussi la masse ?

O.S. : Oui, c'est tellement difficile de déposer une masse et de la rendre vivante. Et puis il y a le côté enjoué de Maillol. On a l'impression qu'il ne se prend pas au sérieux.

M.-O. B. : Vous vous reconnaissez un peu en eux ?

O. S. : Non, en aucun d'entre eux, par honnêteté intellectuelle. Parce que je ne pense pas que cela aurait été bien de les imiter. Comme tout le monde, quand je vais voir des sculptures de Rodin, de Maillol ou de Giacometti, je suis un spectateur.

M.-O. B. : Et quand on dit de vous que vous êtes le "Rodin de Dakar" ?

O. S. : Ce sont des foutaises. Parce que Rodin est unique, tout comme Bourdelle. Je mets cela sur le compte de la paresse intellectuelle, parce qu'il est plus facile de donner une étiquette.

M.-O. B. : Qu'est-ce que vous aimez tant chez Rodin ?

O. S. : C'est l'audace. Il faut exagérer et Rodin exagère. Lorsqu'on connaît l'anatomie et qu'on observe, par exemple, *Le Penseur,* son avant-bras est plus court que son bras, et le muscle de l'épaule descend très bas. Il l'a fait volontairement, car la sculpture n'aurait pas eu la même force si tous les éléments anatomiques avaient été à leur place.

M.-O. B. : On a dit que l'exagération est une constituante de l'art, mais pas la seule. Est-ce que vous pourriez me dire ce qui constitue l'art pour vous ?

O. S. : Quand je parle d'exagération, c'est surtout du point de vue technique. Je n'inclus pas l'exagération dans ma conception de départ. C'est quand je me trouve devant ma création que j'exagère un peu pour donner plus de force. Mais ce qui est primordial, c'est la soif de faire ce qu'on a à faire.

M.-O. B. : Je n'ai pas votre connaissance de l'anatomie, mais elle me frappe dans vos sculptures... Par exemple, là [dans l'atelier, en 1998] il y a un homme au sol, dont une jambe est repliée et l'autre étendue ; la jambe étendue n'est pratiquement pas plus longue que celle qui est repliée. Ça fait une sorte de triangle au sol ; une jambe est plus courte que l'autre mais on ne le voit pas. Est-ce une faute d'anatomie ?

O. S. : C'est du soldat dont vous voulez parler ? C'est une illusion d'optique. Parfois on peut se tromper. Quand on tend une jambe et qu'on croise l'autre, on a l'impression qu'effectivement une partie est plus petite.

M.-O. B. : Même si vous exagérez, vous tenez quand même compte des proportions. Vous dîtes que "l'art c'est l'exagération mais pas seulement l'exagération". Contrôlez-vous cette exagération, dès le départ ?

O. S. : Il ne faut pas être obnubilé par les proportions. On dit bien de quelqu'un qu'il est "court sur pattes", ou qu'il est "long", qu'il a des "jambes qui n'en finissent pas". Tout cela, c'est l'homme. On peut donc se permettre de lui donner plus de puissance. Je pense que Rodin l'avait bien compris. Son *Balzac,* on pourrait croire que c'est une ébauche, mais il est extraordinaire avec cette tête immense.

M.-O. B. : On sent le corps dans le *Balzac*...

O. S. : Oui. Ceux qui le lui avait commandé n'en ont pas voulu parce que le visage est torturé, alors que c'est pratiquement une de ses plus belles sculptures. Ce n'est pas une sculpture académique, elle ne respecte pas les normes. Rodin ne lui a pas donné d'expression, mais quelque chose jaillit de cette sculpture, qui est extraordinaire. Sa manière de tenir son manteau, ses cheveux, sa tête renversée.

M.-O. B. : Vous avez vu les ébauches du *Balzac* au musée Rodin : il modèle le corps, puis passe à cette forme enveloppée ; ça ressemble un peu à la façon dont vous procédez.

O. S. : Oui. Quand je décide de faire une chose, je vais jusqu'au bout. La nouvelle série [*Little Big Horn*] ne ressemblera pas à mes premières sculptures. Il y aura des aspérités dans ce que je vais faire, parce que je n'aime plus les choses très lisses.

M.-O. B. : Qu'est-ce qui vous a amené à préférer les aspérités et à délaisser les surfaces lisses ?

O. S. : C'est une évolution. Auparavant, je ne laissais pas de "trou". La série sur la *Bataille de Little Big Horn* représente des scènes dramatiques, on ne peut pas les faire lisses. Je ne sais pas comment, mais entre les personnages il y aura un dialogue et une force. Pas seulement dans les regards mais dans le comportement. Je n'ai aucune idée de la finition que je leur donnerai mais je sais qu'elle sera différente, avec plus d'audace dans les couleurs.

M.-O. B. : Vous disiez travailler la couleur dans la masse. C'est la pâte même qui est colorée ?

O. S. : Plus maintenant. Avant je colorais dans la masse, puisque je n'utilisais pas encore la technique du brûlé.

M.-O. B. : Depuis quand utilisez-vous cette technique du "brûlé"?

O. S. : Depuis cette série sur *Little Big Horn*. Ma nouvelle technique est beaucoup plus rapide. Avant je faisais des boudins, je les rattachais avec une très grande aiguille que j'avais confectionnée, je les transperçais avec un fil de fer pour les immobiliser. Ensuite il fallait que j'attende que ce soit un peu sec, et je mettais les formes. Mais en séchant ça s'affaissait, c'était un peu compliqué à faire. Tandis que maintenant, je brûle, je crée les formes, et ça se dilate ; mais c'est un temps très court. Je reprends ensuite l'ancienne technique, c'est à dire le modelage des formes définitives.

M.-O. B. : Quand vous étiez à Paris, alliez-vous voir l'art africain au musée de l'Homme ?

O. S. : Oui, ça m'est arrivé dans les années 50, on pouvait y voir, par exemple, des costumes de rois africains.

M.-O. B. : Vous sentez-vous, par certains aspects de votre personnalité, le continuateur de l'histoire de l'art africain ?

O. S. : Continuateur, non, je pense que cela ne serait pas modeste.

M.-O. B. : Vous pensez qu'on ne continue pas l'histoire, qu'on recommence tout à zéro ?

O. S. : L'essentiel c'est d'appartenir à une civilisation, à une ethnie, à un pays, et de faire ce qui vous inspire. Modestement, je me dis que je fais ce qui m'intéresse. J'ai la chance que les gens s'y intéressent au point d'en parler, mais quand je disparaîtrai quelqu'un d'autre fera autre chose.

M.-O. B. : J'ai été frappée par votre rapport au cinéma. Je vous ai entendu dire ceci : "Au cinéma quand on voit un plan américain, ou une tête en gros plan, même si la tête fait quatre mètres de haut sur un écran géant, on sait toujours que c'est une tête. Donc, finalement, la proportion ne veut rien dire." Vous possédez une grande science de l'anatomie, relativement trompeuse parce qu'elle est exacte. Elle masque cette liberté que vous conservez vis-à-vis des proportions, et qui pourrait venir, justement, de votre culture cinématographique...

O. S. : Le fait d'avoir travaillé sur le corps humain m'a permis la liberté. Je sais jusqu'où aller sans faire un monstre, sans défigurer. Je connais les limites. Quelqu'un qui ne connaît pas le corps humain, qui n'a qu'une connaissance théorique des proportions, n'a aucune liberté. J'ai appris l'anatomie non dans le but de faire de la sculpture, mais dans celui de soigner le corps humain. Je sais qu'il n'y a pas d'uniformité dans la morphologie humaine. Je comprends qu'un étudiant des Beaux-Arts, pour qui "l'esthétique" constitue l'élément majeur, n'ose pas s'aventurer dans ce domaine. Le fait d'avoir été kinésithérapeute m'a énormément aidé, m'a décomplexé par rapport au corps humain.

M.-O. B. : Vous dîtes que cela vous a libéré des canons grecs.

O. S. : Ou, ce qui revient au même, des canons académiques.

M.-O. B. : Lorsque vous alliez au Louvre, vous n'aimiez pas les sculptures grecques ?

O. S. : Pas beaucoup. J'en aime certaines. C'est peut-être la recherche de la perfection qui fait qu'elles sont froides.

M.-O. B. : Vous dîtes également que quand on sait faire le corps d'un homme, on n'a aucun problème pour faire les corps d'animaux.

O. S. : Le corps humain est une architecture. C'est la chose la plus difficile à réaliser parce qu'il n'y a pas de logique. Regardez l'oreille, le pavillon, qui est si torturé ; avec seulement un creux, on aurait pu entendre. La poitrine de l'homme ou de la femme, les volumes, la main, on ne les trouve pas chez l'animal. L'humain est très compliqué à faire.
Même la colonne vertébrale. L'homme est plat tout en étant arrondi. Il y a un sillon qui traverse le milieu du corps et de chaque côté une sorte de bosse. L'homme est surtout compliqué à faire sur le plan musculaire. Si, dans un mouvement, vous oubliez de faire ressortir tel muscle, ce mouvement est foutu.

M.-O. B. : C'est ce que vous avez appris en rééduquant les muscles atrophiés, par exemple ?

O. S. : Oui, parce qu'on palpe. Quand j'étais à l'école, j'ai appris l'anatomie analytique. Il fallait savoir quels muscles travaillent lorsqu'on est debout ou lorsqu'on marche. Quels sont ceux qui sont au repos et quels sont ceux qui sont au semi-repos. Je crois que c'est ce qui a été primordial pour moi. L'anatomie analytique m'a permis de mieux comprendre cet antagonisme entre le muscle qui est contracté et celui qui est au repos.

M.-O. B. : Ce que vous cherchez toujours à rendre, c'est le mouvement. Même la femme très hiératique qui tresse, vous la sentez dans le mouvement, toujours.

O. S. : Toujours, elle a les mains levés, le regard orienté, elle n'est pas assise, elle n'est pas debout et donc, forcément, elle est en activité. Même si ce sont ses mains qui travaillent.

M.-O. B. : Le cinéma, est-ce que c'est pour vous le modèle même du récit ?

O. S. : C'est surtout un divertissement. Quand on va au cinéma c'est pour se divertir.

M.-O. B. : Diriez-vous que l'art, la sculpture sont un divertissement ?

O. S. : Oui, dans le bon sens du terme, un divertissement qui vous éloigne de ce que vous avez l'habitude de voir, de sentir, et même quelquefois d'imaginer. Si on arrive à provoquer cela, c'est extraordinaire.

M.-O. B. : Ça relèverait de la curiosité ?

O. S. : Quand on voit des spectateurs sortir les larmes aux yeux, ça dépasse la curiosité. Définir l'art est tellement difficile. Je ne sais même pas si ceux qui le pratiquent peuvent le cerner. Car la perception de l'art est tellement variable selon les individus qu'on ne peut pas en donner une définition précise.

M.-O. B. : Mais vous pensez que l'émotion en fait partie intégrante...

O. S. : C'est le commencement. Il manquerait quelque chose à un art qui ne pourrait pas procurer d'émotion, je pense.

M.-O. B. : Tous les sujets que vous avez traités, toutes les sculptures que vous avez réalisées vous ont-ils ému ?

O. S. : Oui, tous. D'abord c'est une émotion causée par la création, puis par l'œuvre accomplie.

M.-O. B. : Vous avez évoqué votre envie d'écrire un scénario...

O. S. : Je voudrais filmer des sculptures miniatures et raconter une histoire.

M.-O. B. : Avez-vous une idée de l'histoire ?

O. S. : J'ai tellement de petites histoires, sans commencement ni fin, en gestation. Des histoires qui ne durent pas très longtemps. Pour faire un long métrage en film d'animation, il faut avoir des moyens et du temps. Ce qui m'intéresse ce sont de petites histoires, comme celle de l'extrait que l'on peut voir dans le film qui m'a été consacré.

M.-O. B. : Que vous avez réalisé. C'est le seul que vous ayez fait. Ce sont des choses sur lesquelles vous souhaiteriez revenir ou pas ?

O. S. : La porte est ouverte. Je vais faire des miniatures, certainement pour les animer. Si je les anime, il faudra qu'il y ait une histoire, loufoque mais qui tienne debout.

M.-O. B. : Une histoire comme une B.D. ?

O. S. : Par forcément. Une histoire humoristique sur la vie quotidienne. Mais c'est loin de mes préoccupations actuelles. Il est vrai que, comme je n'écris rien, je ne me souviens pas vraiment de mes histoires.
Finalement, ce qui m'intéresse c'est ce que je fais : des sculptures qui racontent leur propre histoire, sans que j'aie à m'en mêler.

M.-O. B. : Avez-vous toujours pratiqué la sculpture ?

O. S. : Je n'ai jamais cessé. Je savais que j'avais des dispositions à exploiter. Mais comme j'ai beaucoup déménagé, selon les époques, parfois je l'ai mise en sourdine. Dès que j'étais en paix, que j'étais établi quelque part, je recommençais à sculpter.

M.-O. B. : Et vous l'avez toujours fait avec les matériaux divers que vous aviez sous la main ?

O. S. : C'est seulement dans les années 68-70 que j'ai commencé à fabriquer mes produits. A ce moment-là il fallait que je trouve une matière parce que je ne pouvais plus continuer avec le calcaire.

M.-O. B. : Il y a un changement important dans votre pratique, c'est le passage de la taille du calcaire au modelage...

O. S. : Non, ce n'est pas vraiment important. Les gens se posent souvent la question de la différence entre la taille et le modelage. Tous ceux qui ont fait la renommée de la sculpture sont passés par le modelage, au départ avec du plâtre ou de la terre parfois. Ils ont ensuite fondu des bronzes, même ceux qui ont travaillé le marbre de Carrare.

M.-O. B. : Y a-t'il une différence entre tailler le marbre et modeler le plâtre ou la terre ? Entre la résistance du matériau et la fabrication ex *nihilo* du volume ?

O. S. : Chaque technique a ses conséquences. Celui qui taille, taille ce qui existe déjà. Cela demande une grande dextérité, pour ne pas prendre plus qu'il ne faudrait. Le tailleur a un bloc devant lui. S'il le laisse sur place, dans cent ans, dans mille ans, la nature l'aura sculpté. Et on s'aperçoit qu'elle fait parfois de belles formes.
Mais celui qui modèle part de rien. C'est un vide. Et il faut qu'à la fin, devant lui, il y ait une sculpture.
L'opposition des deux me paraît superflue. Même le plus grand sculpteur commence par un rien, je veux dire quelque chose qui ne ressemble pas à l'homme. C'est par association, par explosion, que les formes se composent.
Comme lors de la création de l'homme : d'abord une boule, puis une explosion et, petit à petit, on voit une forme, la tête, quelque chose qui ressemble vaguement à une main et ainsi de suite. Je pense que les branches torturées que la nature a faites représentent la perfection. On ne peut pas tenter de rivaliser avec ça. C'est pour cela qu'il faut rester modeste.

M.-O. B. : Est-ce au moment où vous avez cessé de travailler le calcaire que vous vous êtes mis en quête de votre propre matériau ?

O. S. : Oui, je pense que cela doit dater à peu près de cette période. Je ne suis plus tellement sûr. J'ai peut-être fait des modelages en argile, mais je ne peux pas l'affirmer, parce que tout ceci s'est passé d'une manière tellement naturelle. J'ai fait des bas-reliefs.

M.-O. B. : Vous avez exposé un bas-relief au premier Festival des Arts nègres de Dakar. C'était, dîtes-vous, une tête de Maure. Etait-ce un portrait ?

O. S. : C'était un portrait, mais pas le portrait d'une personne précise. Je l'ai donné à un ami mais on le lui a volé.

M.-O. B. : Etait-ce un bas-relief ?

O.S. : Oui, j'en ai fait trois.

M.-O. B. : N'avez-vous gardé aucun des objets taillés en calcaire ?

O. S. : Ça remonte à plus de cinquante ans, c'est très loin. Je crois que le dernier était un marin, parce que je me rappelle de la couleur de son front. Je me rappelle que je me suis appliqué à le faire briller, j'avais mis de la couleur.

M.-O. B. : Utilisiez-vous déjà la couleur lorsque vous tailliez le calcaire ?

O. S. : Au moins pour certaines pièces. Pour les premières non, mais par la suite j'ai voulu les peindre.

M.-O. B. : Avez-vous continué la polychromie lorsque vous vous êtes mis à modeler ?

O. S. : Oui, mais par nécessité cette fois. J'ai continué la polychromie parce que je pensais que cela me permettrait d'aller plus loin, de faire les yeux marron ou bleus, cela aurait été dommage de ne pas pouvoir jouer avec les teintes au niveau du visage, des vêtements ou du corps. Mon produit fonctionne tellement bien avec la couleur. Il permet des couleurs misérables.

M.-O. B. : Quand avez-vous commencé à utiliser des matériaux de récupération pour "fabriquer" votre propre matière ?

O. S. : Quand j'étais enfant, j'utilisais des produits qui s'apparentaient un peu à la colle mais ça ne tenait pas. Il m'est arrivé, quand je voulais terminer une sculpture, d'utiliser de la colle néoprène. Je prenais la colle la plus résistante, mais j'étais obligé, à un moment donné, de l'enlever parce qu'elle ne supportait pas la pression, la chaleur. Je faisais de la récupération parce que je n'avais pas les moyens d'acheter de la colle pour faire des volumes importants, et que le résultat aurait été médiocre. Les colles vendues en Afrique ne sont pas de bonne qualité.
Donc je me suis mis à récupérer des objets, à les laisser se désagréger, mélangés à d'autres produits, mais ça n'est pas venu d'un seul coup, j'ai fait de nombreux essais. J'ai surtout eu la patience d'attendre que les choses se fassent.

M.-O. B. : Mais l'histoire de vos matériaux – car il n'y a pas eu une seule sorte de matière dans toutes vos sculptures –, reflète un processus qui semble régir votre vie... vous laissez mûrir les choses, ça mûrit et ça s'exprime. Y a-t'il un mouvement intime des choses qu'il faut laisser agir ?

O. S. : Oui, il faut avoir confiance dans l'évolution.

M.-O. B. : Ce serait ça, si je puis dire, la "philosophie" de votre produit ?

O. S. : Oui, en effet, parce que ce n'était pas évident au tout début. Je n'avais aucune référence ; personne ne l'avait fait. Mais je crois que le mérite que j'ai eu, c'est de laisser passer du temps, c'est comme ça que je me suis retrouvé, au bout de quatre ans, avec un produit utilisable.

M.-O. B. : Vous utilisez toujours, maintenant, un produit que vous laissez évoluer sur trois ou quatre ans...

O. S. : C'est à dire, je le reconstitue sans cesse, je n'utilise jamais tout d'un seul coup. Donc il y a toujours un fond de ce produit qui reste. Quand je vois que ça s'épuise, j'en ajoute et j'attends quelque temps. Cela réduit la durée de maturation.

M.-O. B. : C'est un peu comme un levain pour un boulanger ?

O. S. : Oui, c'est comme la mère du vinaigre. Le démarrage est assez dur, mais après je le gère. Quand je vois que j'en ai assez puisé, j'en ajoute et j'attends, mais moins longtemps.

M.-O. B. : Je pense que vous devez en avoir une réserve, car pour les *Indiens,* vous allez avoir besoin d'une grande quantité de ce produit...

O. S. : Je l'ai prévu. Même après moi, il en restera et ça pourra servir à quelqu'un.

M.-O. B. : En même temps, vous n'en donnez jamais la composition, cela fait partie du mystère.

O. S. : Ça fait partie du jeu.

M.-O. B. : Mais la connaissez-vous vraiment ?

O. S. : Non, il y a une part de vérité quand je dis aux journalistes "ça n'est pas définitif", car j'en rajoute, j'en enlève.

M.-O. B. : Si, depuis 1969, vous cultivez votre "mère de vinaigre" en rajoutant ou en retranchant des ingrédients, vous ne devez plus savoir ce qu'il y a dedans ?

O. S. : Non. Attention, 1969 c'est la date du début du mélange. Mais les barils que j'utilise ici datent de mai 1987. Le premier baril date du 27 mai 1987.

M.-O. B. : Comment savez-vous aussi précisément la date ?

O. S. : Parce que je souhaitais attendre le mûrissement du produit, donc je connaissais la date, pour pouvoir en déterminer la durée : un trimestre, un semestre, un an.

M.-O. B. : Donc, vous l'avez vraiment calculé, fabriqué, presque comme on fabrique un enfant.

O. S. : Non, j'avais simplement inscrit la date sur le baril à la craie.

M.-O. B. : En fait ça ressemble plutôt à la fabrication d'un vin ou d'un alcool, dont on estime la maturation dans la durée.

O.S. : J'ai commencé à travailler bien avant cela avec les moyens du bord. Je l'ai vraiment laissé macérer, et je n'ai pas réalisé les *Nouba* avec ce produit. Je crois que j'ai commencé à puiser dans les barils à partir des *Masaï* et des *Zoulou*. Maintenant j'utilise la toile de jute dont on se sert pour envelopper les patates, mais les ingrédients restent les mêmes. Peut-être que si j'essayais avec des produits nobles, la fabrication serait plus rapide, mais je ne suis pas sûr que, dans le temps, la conservation serait aussi longue.

M.-O. B. : L'espèce de matière grise que l'on voit sur vos chevaux, est-ce le produit ?

O. S. : Non, c'est la fonte de la matière plastique.

M.-O. B. : Le produit, c'est ce que vous appliquez en dernier ?

O. S. : Oui, c'est l'extérieur. C'est avec le produit que je fais les visages, que je teins les vêtements et surtout que j'harmonise et complète les reliefs.

M.-O. B. : Un peu comme un enduit final...

O. S. : Oui, c'est le point final.

M.-O. B. : Et c'est lui qui est coloré dans la masse en fait. C'est un produit qui ne vous a jamais fait physiquement mal aux mains ? Vous l'appliquez à la main, sans gant.

O. S. : Si, ça pique. Surtout quand je le travaille longtemps.

M.-O. B. : Est-ce un produit relativement nocif ?

O. S. : Non, je ne le pense pas, je le manipule depuis 1970. Ça peut l'être si on s'en sert vingt-quatre heures sur vingt-quatre dans un local non aéré.

M.-O. B. : Mettrez-vous des gants un jour ?

O. S. : Non, je ne le pense pas. Pour la sculpture j'aime bien tâter, c'est plus agréable de sentir la matière.

M.-O. B. : Vous concevez l'art comme l'expression d'une nécessité intérieure de l'artiste. Diriez-vous que l'art c'est ce qui est beau, ce qui exalte la dignité, la grandeur, la force. Ce qui permet de retrouver une philosophie du monde ?

O. S. : Il n'y a pas que l'art qui doive recouvrir ce que vous venez de dire. Si on y parvient avec l'art, c'est mieux. Mais tout le monde devrait avoir une base de dignité, d'honorabilité, d'intégrité morale. Certains, avec le succès, en viennent à croire qu'ils sont au-dessus de tout, que tout leur est permis. Alors que ça devrait être le contraire : parce qu'on a la chance de créer, on devrait être beaucoup plus détendu, prendre plus de distance par rapport aux choses.

M.-O. B. : Est-ce que vous vous êtes posé la question "qu'est-ce que l'art, qu'est ce que l'art pour moi ?" avez-vous lu des choses là-dessus, comme vous avez pu en lire sur la réincarnation de l'âme ?

O. S. : La réincarnation c'est un cheminement, une voie que des érudits vous montrent. Mais l'art c'est une sensibilité donc personne ne peut vous dire ce que vous pouvez ressentir. Je ne me suis pas posé la question dans la mesure où les choses ont évolué petit à petit vers une sorte de nécessité. Je n'ai pas eu à calculer, c'est un cheminement normal de ma vie.

M.-O. B. : Dans la conception de votre maison, qu'est-ce qui, à travers l'architecture, correspond à votre philosophie de la vie et de l'art ? La salle de méditation frappe tous les visiteurs... Elle se trouve au sommet ; en bas, il y a les salles destinées au quotidien, qui elles-mêmes surplombent la salle d'exercice physique...

O. S. : Je suis très croyant. Avant j'étais athée, fondamentalement, c'est-à-dire comme celui qui n'en parle pas, qui ne s'en glorifie pas. Mais c'était un athéisme paradoxal parce que, lorsque je travaillais dans les hôpitaux et que je voyais, par exemple, un gosse que je rééduquais et qui allait mourir, je me révoltais contre Dieu. Or, c'était déjà Le reconnaître. Quand j'ai commencé à faire de la sculpture, certaines personnes me disaient que mes œuvres semblaient vivre. Je répondais que toute créature divine a plus de valeur qu'une sculpture car elle est autonome. La salle de méditation doit être la plus belle de la maison. Quand on offre quelque chose, on offre ce qu'il y a de mieux en principe. J'ai donc choisi la pièce la plus belle de la maison.

M.-O. B. : Pour offrir, à celui qui vient y chercher la solitude absolue, un tête-à-tête avec lui-même ?

O. S. : Avec lui-même, avec Dieu, selon les croyances. Rien n'est exclu. Cela ne me dérangerait absolument pas que quelqu'un vienne prier sur la natte, que quelqu'un vienne y lire la bible, ou vienne juste comme cela. Par contre, je ne voudrais pas que cette pièce soit banalisée. C'est pour cela que je demande toujours qu'on enlève ses chaussures, cela impose un respect.
Il faut que celui qui y entre s'y sente protégé, à la condition qu'il respecte le lieu. Il n'y aura jamais de meubles, personne n'y dormira. Je ne demande pas qu'on soit croyant pour y entrer, mais qu'on le soit ou non, il doit posséder une valeur pour chacun.

M.-O. B. : Vous êtes croyant ?

O. S. : Oui, c'est d'autant mieux ancré en moi que c'est venu progressivement. Ce n'est pas par peur. Certains deviennent croyants quand ils sont malades, quand ils vieillissent ou s'approchent de la mort. Ma croyance s'est déclarée chemin faisant.

M.-O. B. : Avez-vous été élevé dans une religion ?

O. S. : Dans la religion musulmane.

M.-O. B. : Vous êtes né à Dakar. N'y a-t'il pas ici une culture traditionnelle, animiste ?

O. S. : Ici, l'animisme se confond avec les religions, surtout musulmane, mais catholique également. On possède des amulettes, on fait des incantations quand on a mal ; tout cela s'apparente à l'animisme. La frontière n'est pas vraiment étanche.

M.-O. B. : Vous dites que "la croyance est venue petit à petit"... comme l'art, comme la pratique de la sculpture ?

O. S. : Oui, parce qu'on essaie toujours d'imiter Dieu, en sachant qu'on ne l'égalera jamais.

M.-O. B. : Donc pour vous, "création" n'est pas un vain mot, vous imitez la création, vous vous sentez créateur ?

O. S. : Ce mot recouvre tellement de choses. Pour moi, la création c'est quand on réussit quelque chose que d'autres n'arrivent pas à faire. C'est ma définition, quoi que ce soit que l'on fasse.
Mais c'est un peu comme l'enfant qui essaie de porter les chaussures de son père. Je pense que Dieu doit sourire quand il nous voit gesticuler, quand il nous voit imiter. C'est plutôt de l'imitation que de la création. On imite parce que ça nous fait plaisir, parce que l'on perce un peu de mystère.

M.-O. B. : Quel mystère ?

O. S. : Je parle de sculpture. En ce moment, je ne sais pas quels visages auront les *Indiens*, c'est un mystère. Je les ai pourtant créés mais c'est encore mystérieux. Ils ne commenceront à représenter quelque chose que lorsque je leur donnerai un visage, quand ils se regarderont entre eux, quand leurs gestes se dirigeront vers l'autre. J'en suis à l'ébauche, c'est un stade passionnant. Quand je crée un visage qui me regarde ou qui regarde quelqu'un d'autre, je me dis, "il a une sale tête", ou "il un visage avenant". Cela m'arrive, je n'ai pas de préjugé, je n'ai pas d'image préconçue.

M.-O. B. : Donc, en faisant cela vous avez l'impression d'imiter Dieu ?

O. S. : Non, je n'ai jamais eu l'idée de le faire. J'ai peut-être eu la curiosité de voir jusqu'où on pouvait aller en reproduisant la tête d'un être humain. Mais je ne peux pas aller plus loin. Même si je pouvais leur donner une âme, je ne le ferais pas parce que ça ne m'intéresse pas.

M.-O.B. : Vous ne pouviez pas "leur donner une âme" et vous le saviez. Est-ce cela qui vous a amené à croire en Dieu ?

O.S. : Un cheminement a commencé en moi, la sculpture l'a renforcé. Je me suis mis en quête de ce que devenait l'âme après la mort. Je trouvais vraiment triste que l'âme des gens qui ont une qualité intellectuelle disparaisse en même temps que leur corps. Cette idée m'était insupportable.

M.-O.B. : Est-ce que cela a été provoqué par la perte de gens que vous estimiez ?

O.S. : Non, ça a été un stade dans ma vie. C'est l'esprit cartésien qui pousse à tenter d'expliquer le pourquoi des choses. Peut-être étais-je plus disponible, et qu'au lieu de lire des romans je me suis mis en tête de savoir, à travers des livres, ce que devient l'âme après la mort.

M.-O.B. : Avez-vous trouvé des réponses dans votre religion d'origine, c'est à dire l'Islam ?

O.S. : Non, je me suis plutôt tourné vers une philosophie inspirée de l'hindouisme, parce que c'est là que j'ai trouvé le plus d'abnégation, de détachement vis-à-vis de l'existence. Cela m'intéressait de savoir comment on peut arriver à une sorte de félicité, je n'ai pas eu de mal à y croire. Alors qu'un chef, un curé ou un marabout ne m'auraient pas convaincu, parce qu'ils sont loin d'être désintéressés. Dans l'hindouisme, j'ai compris certaines choses, qui m'ont intéressé et m'ont fait réfléchir. Je n'ai pas une religion. Je peux lire tous les livres, je m'intéresse à tout ce que les gens peuvent me dire, s'ils montrent l'exemple. Je n'ai pas de gourous.

M.-O.B. : Croyez-vous en la réincarnation de l'âme ? Est-ce quelque chose qui vous préoccupe ?

O.S. : Oui, je crois en la réincarnation. Ce qu'expliquent les philosophes hindous me semble logique : à chaque réincarnation, il y a purification de l'âme, jusqu'à ce qu'elle redevienne ce qu'elle était à l'origine. Et là, il n'y a plus de réincarnation. Quand j'étais gosse, on me disait que le paradis c'est quand on ne travaille plus, quand on demande ce qu'on veut et qu'on l'obtient. Je trouvais cela infernal : ne plus avoir à faire d'effort pour obtenir ce qu'on veut. Je n'étais pas vraiment convaincu.

M.-O.B. : Avez-vous établi un rapport entre l'âme et ce que vous avez appris sur le corps ? Votre salle de méditation renvoie-t'elle aussi à l'idée que certaines pratiques physiques peuvent conduire à la spiritualité ?

O.S. : Pour moi, le fait d'enlever ses chaussures est un point de départ. Respecter le lieu concerne tout le monde. Ça ne me dérangerait pas que quelqu'un y entre en écoutant de la musique. Ce que je ne voudrais pas, c'est que cet endroit soit banal.

M.-O.B. : Je pensais à une certaine pratique, une certaine discipline du corps qui mène à la spiritualité...

O.S. : Vous voulez dire le yoga par exemple ? On parle de choses que je ne connais pas. Mais il me semble qu'arriver à discipliner les deux en même temps, le corps et l'esprit, est très difficile. Pour discipliner l'esprit, il faut oublier le corps. Quand on prend des postures, il me semble qu'on ne peut pas oublier le corps, surtout lorsque l'on change de position. A moins de rester à méditer pendant des heures comme les hindous, dans la position du lotus, ce qui n'est pas le cas, je crois, dans les sociétés occidentales.

M.-O.B. : Est-ce que la discipline et la méditation passent, pour vous, par l'art ? Est-ce que vous tolèreriez que quelqu'un pratique une activité artistique dans cette salle de méditation ?

O.S. : Non, cette salle est vraiment conçue pour l'esprit. Si quelqu'un s'y rend pour s'enfermer, pour créer, je pense qu'il vaudrait mieux qu'il aille sur la terrasse regarder la mer, parce que je crois que la création consiste à faire bouger l'esprit. Quand les gens vont dans cette pièce, j'espère qu'ils s'abandonnent à des activités spirituelles.

M.-O.B. : Vous ne mettez pas l'art au rang des pratiques spirituelles ?

O.S. : Si. Ce que je veux dire c'est que, dans le cheminement de l'art, il y a deux étapes. On ne peut pas dire que l'art soit spirituel dans la totalité de son processus. L'art est spirituel dans sa conception : concevoir la sculpture, la placer dans l'espace. Quand elle est terminée également. Mais, entre les deux, je pense que c'est un effort physique. Peut être que, pour le peintre, ce n'est pas la même chose. Pour le sculpteur, il y a un moment où c'est physique. Mais il faut aussi de la spiritualité pour orienter les choses vers ce que l'on souhaite obtenir.

M.-O. B. : Aimez-vous avoir des visites lorsque vous êtes en plein travail ?

O. S. : Ça m'oblige à m'arrêter et à penser à autre chose. C'est bénéfique. Ainsi je ne m'abrutis pas dans le travail. Quand des gens viennent, qu'on les attende ou pas, cela crée des intermèdes.

M.-O. B. : Vous préférez que les gens viennent à l'improviste ?

O. S. : Oui, j'aime bien ça, parce que souvent, dans les visites annoncées, il y a quelque chose qui ne va pas. Quand les gens viennent à l'improviste, à condition qu'ils respectent ma tournure d'esprit et qu'ils sachent que je ne m'arrêterai pas pour eux, c'est pour moi une parenthèse même si on n'a pas le temps de se parler. Mais pendant ce temps-là, je sais quand même qu'il y a quelqu'un. Ça fait partie de l'improvisation de la vie.

M.-O. B. : J'ai l'impression que c'est un aspect important de votre vision du monde : laisser place à l'improvisation...

O. S. : Je n'aime pas une vie trop réglée. Je déteste les prévisions respectées, une vie où chaque chose est à sa place. J'aime les imprévus dans la vie. Je me suis aperçu l'autre jour que, pratiquement, je n'ai jamais eu de patron, sauf lorsque je travaillais pour l'Assistance Publique. En fin de compte, c'est ce qui m'a éloigné de la politique, je ne souhaite pas que mon sort dépende de quelqu'un. J'aime être du matin au soir maître de mon sort. C'est un luxe que j'ai eu la chance de pouvoir réaliser. A mon âge maintenant, je pense ne plus jamais avoir de patron.

M.-O. B. : Pensez-vous qu'une vie, ou la vie, soit tellement puissante qu'il faille se trouver des moteurs, très puissants également, pour la faire s'exprimer, la faire exister ?

O. S. : Je pense qu'au point de départ, il faut être réceptif, ne rien négliger. Même ce qui paraît banal à première vue, peut créer une certaine satisfaction si on y fait attention. Je crois que ça n'est pas parce qu'on possède un petit lopin de terre qu'on va le cultiver, si on ne l'a jamais fait jusqu'à présent ; ça n'est pas parce qu'on dispose de temps qu'on va s'occuper de son jardin, ou qu'on va aller à la pêche. Si c'est devenu une passion c'est différent. Mais on ne doit pas se créer des activités annexes sous prétexte de meubler sa vie. Il n'y a rien de plus terrible et de plus triste. Dans ce cas, c'est une sorte de bouée de sauvetage qui ne sauve personne. Il faut quelque chose de très profond pour arriver à animer une vie.
L'essentiel est d'avoir une activité qui vous satisfasse, et non de s'en créer. Exactement comme quand on a faim, avoir envie de manger. Il faut avoir envie de vivre.
C'est pour cela qu'il faut être curieux dans la vie, essayer de tout explorer même ce qui n'a apparemment aucune valeur, s'intéresser à ce que les gens font, c'est ainsi qu'on découvre ce qui est intéressant. Et puis y revenir, et y revenir encore. Si on s'aperçoit qu'on en a fait le tour, on cherche autre chose. La chose la plus mortelle c'est la répétition.

M.-O. B. : Vous avez toujours eu envie de vivre ?

O. S. : Oui, pleinement, et de peu de choses.

Marie-Odile Briot

Ce texte a été établi à partir d'entretiens entre Ousmane Sow et Marie-Odile Briot†, commissaire de l'exposition, qui se sont déroulés les 17, 18 et 19 juin 1998.

Peulh

La force dominante de la savane

Les Peulh constituent sans doute le groupe ethnique le plus exceptionnel d'Afrique-Occidentale – unique en ce sens qu'ils sont largement dispersés dans toute la région qui va de l'est du Sénégal jusqu'à la République du Centre-Afrique, et qu'à une certaine période post-coloniale (dans les années 1960), les chefs de gouvernement de cinq pays différents étaient sortis de leurs rangs. Preuve de leur position politique dominante. Connus tour à tour sous les noms de Fulani, Fellata, Fula, Fulbe, Pullo et Wadaabi, la population des Peulh dépasse largement les sept millions, et se concentre principalement au Nigéria, au Mali, en Guinée, au Cameroun, au Sénégal et au Niger. Leur langue – le Fulfulde – est classée parmi les langues africaines d'origine nigériane-congolaise de l'Atlantique occidental. Comme on peut s'y attendre, il existe un grand nombre de dialectes fulfulde, et la plupart des Peulh parlent la langue prédominante de leur zone de résidence.

Plusieurs historiens ont postulé que les Peulh descendent des Toucouleur qui vivaient le long du fleuve Sénégal moyen, au VIIe siècle. Ils mêlent toutefois des origines berbère et sub-saharienne. Convertis à l'islam au XIe siècle, ils favorisèrent ensuite l'expansion de cette religion en Afrique occidentale et, de ce fait, devinrent une force prédominante. Bon nombre d'États africains, dont l'ancien Ghana et le Sénégal, eurent des Peulh pour chefs. Les documents historiques montrent qu'au XVIIe siècle, ils furent à l'origine d'une renaissance spirituelle islamique et que, dès le XVIIIe siècle, leur prosélytisme gagna une grande partie du Soudan. De 1750 à 1900 ils s'engagèrent dans d'incessantes guerres saintes férocement sanguinaires (jihad), en prétendant purifier l'Islam et, ce faisant, établirent deux empires très importants au début du XIXe siècle. L'un de ces empires, qui s'étendait depuis la région nommée Macina, contrôla même Tombouctou pour un temps ; l'autre, taillé à sa mesure par Ousmane Dan Fodio suite au succès de sa première guerre sainte (1804-1810), et basé à Sokoto, englobait les États Hausa au nord du Niger, des régions du Bornou et de l'ouest du Cameroun. Ces Peulh, à la fois chefs et propriétaires de fiefs, contrôlèrent et gouvernèrent ces vastes zones jusqu'à la conquête britannique en 1903 et à l'incorporation qui s'ensuivit dans le nouvel État du Nigéria. L'empire peulh de Macina fut vaincu (en 1861) par Hajj Omar, qui mourut plus tard victime de la violente résistance qu'il avait rencontrée. Toutefois, les Peulh restèrent politiquement dominants dans la majeure partie de la Vallée du Sénégal et des régions environnantes pendant presque toute la période précédant leur défaite par les Français à la fin du XIXe siècle.

Les Peulh ont une peau légèrement cuivrée, des cheveux relativement raides, et un nez et des lèvres plutôt fins, bien que ces traits soient plus prononcés dans une catégorie de Peulh (les bergers) que dans l'autre. La peinture et la décoration du visage, ainsi que les tresses, se rencontrent fréquemment, surtout chez les bergers. De façon générale, on peut distinguer deux sortes de Peulh : les bergers nomades et les sédentaires, communément appelés "citadins". Les premiers vivent en groupes, se déplacent avec leurs troupeaux, établissent des campements temporaires grâce à leurs tentes portables, certains se contentant de structures de fortune en feuillages. Qu'ils appartiennent à la tradition musulmane ou à d'autres religions traditionnelles, ils sont majoritairement peu pratiquants. Il leur arrive souvent d'échanger sur les marchés locaux leurs produits laitiers contre les récoltes des paysans parmi lesquels ils vivent. Ils tuent rarement leur bétail et le réservent plutôt pour les sacrifices rituels. Les Peulh citadins et les agriculteurs sédentaires pratiquent quant à eux de multiples activités, essentiellement le commerce des produits de la ferme et de leur très important artisanat ; ils sont connus pour être des musulmans fervents. Un point marquant, qu'il importe de ne pas négliger, à propos des Peulh citadins, est qu'ils se répartissent en classes

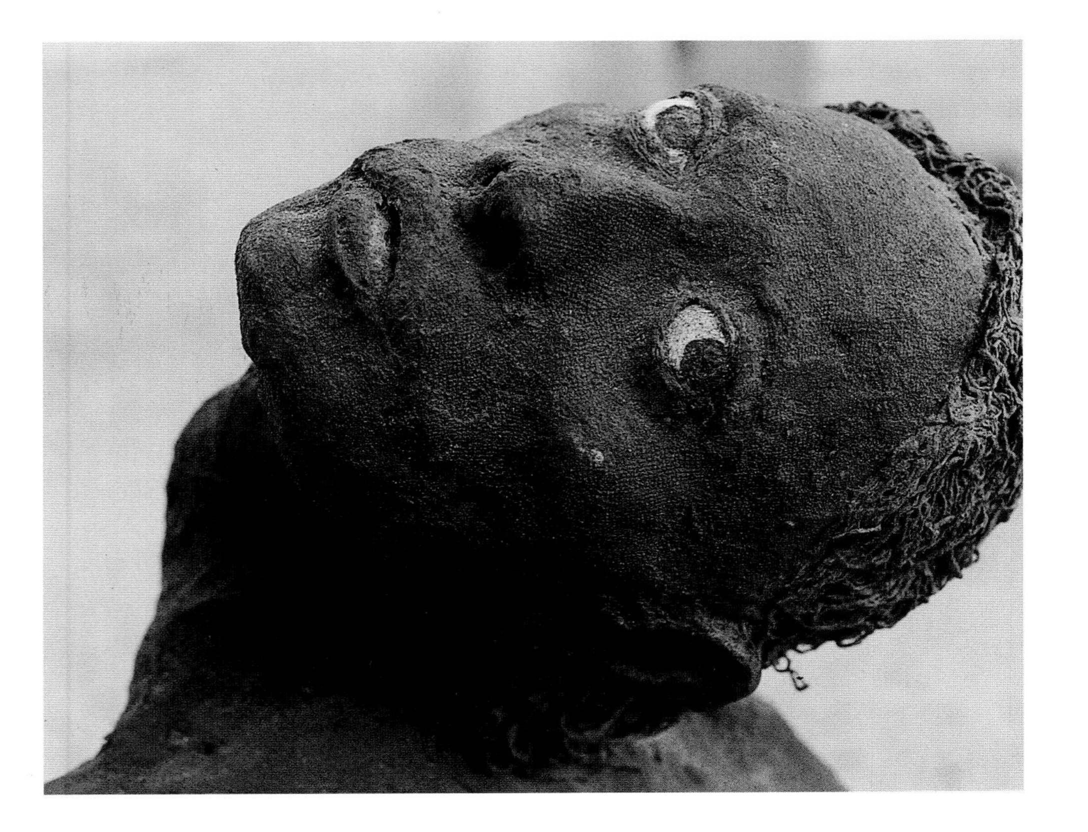

sociales nettement stratifiées – contrairement aux bergers dont l'organisation est relativement égalitaire, et qui passent pour les authentiques représentants de la culture peulh. Tous les Peulh ont traditionnellement pratiqué l'esclavage.

En ce qui concerne les liens de parenté, on retrace la généalogie et la résidence des Peulh à travers la descendance masculine. Les hommes sont la plupart du temps polygames, les différentes femmes vivant dans des maisons séparées avec leurs enfants, jusqu'au mariage de ces derniers. On remarque chez les Peulh, à plusieurs niveaux et dans des contextes différents, une tendance générale aux mariages entre cousins et à l'endogamie. Certains spécialistes attribuent cette pratique à l'influence de l'Islam, ce qui n'est guère convaincant étant donné que cette coutume n'existe pas dans des groupes ethniques d'Afrique en majorité musulmans.

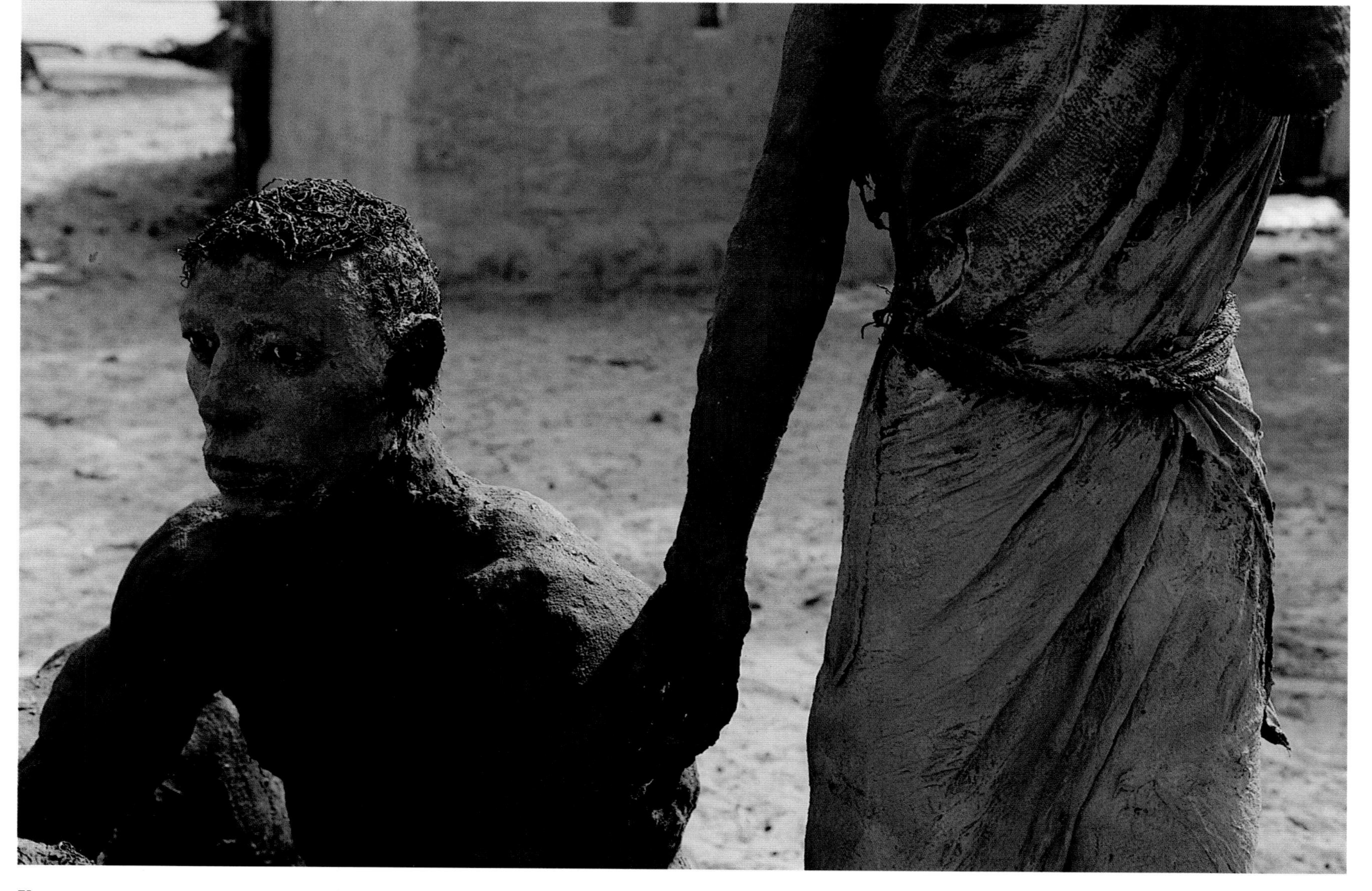

Il est intéressant de noter que les femmes peulh sont très versées dans la connaissance des plantes médicinales de la forêt, d'où leur réputation de guérisseuses traditionnelles. Elles ont aussi la responsabilité de la traite des vaches – principale ressource alimentaire des membres de cette communauté. Notons aussi, étant donné l'importance que lui attachent les Peulh, un permanent respect pour certaines valeurs : la dignité, le courage, la patience et le discernement. Pour les Peulh du Sénégal, ces qualités composent un code de conduite appelé pulaagu, dont l'élément essentiel réside dans la maîtrise de soi conçue comme un processus d'entraînement des guerriers, afin qu'ils soient capables de ne pas succomber à l'adversité, qu'ils donnent le meilleur d'eux-mêmes sans perdre leur sang-froid. Il existe un lien particulier entre les hommes et femmes âgés et les jeunes, les uns censés dispenser – et les autres apprendre avec soumission et pleinement maîtriser – l'art difficile de la survie, indispensable à ces groupes de nomades confrontés à des conditions défavorables.

Dans plusieurs zones, l'interaction des Peulh, très dispersés, avec de nombreux autres groupes a donné naissance à une grande variété de schémas socio-économiques. Dans bien des cas, il en a résulté une absorption et une assimilation culturelle notable. Toutefois, les Peulh continuent de conserver un ascendant politique sur les autres ethnies.

S. H.

Zoulou

Les guerriers conquérants d'Afrique du Sud

Parmi les innombrables souverains des royaumes d'avant la colonisation, aucun ne fut plus glorifié, ni aussi diffamé par les historiens européens que Shaka (le roi zoulou qui gouverna de 1816 à 1828) – du moins jusqu'à une époque récente. Sa vie et ses actes n'ont cessé de fasciner nombre de meneurs politiques qui, entre autres tentatives, se sont efforcés dans leurs descriptions et récits de le décrire comme une icône mise au service d'un nationalisme contemporain. Il est toutefois vrai que Shaka fut un grand visionnaire militaire et un génie politique dont les capacités ont influencé une immense partie du continent africain. L'un de ses mérites reste aussi d'avoir créé et structuré une société qui a perduré bien au-delà de sa propre disparition.

Les Zoulou appartiennent à une grande nation d'Afrique du Sud, composée de populations parlant le Nguni, qui font partie des groupes de Bantou du Sud et entretiennent d'étroits liens ethniques, linguistiques et culturels avec les Zwazi et les Xhosa. Autrefois, le mot Zoulou ne faisait référence qu'au nom du clan – isobongo – de Shaka, qui en prit la tête en 1816 et qui étendit peu à peu sa domination sur un grand nombre d'autres peuples, jusqu'à créer le formidable empire zoulou au début du dix-neuvième siècle. Autrement dit, les Zoulou n'étaient que l'un des nombreux clans nguni avant que Shaka ne le transforme en un puissant royaume. Il faut noter que les clans constituent toujours l'unité de base de l'organisation sociale zoulou ; ils regroupent plusieurs maisonnées de tradition patrilinéaire (possédant chacune ses troupeaux et des droits sur les champs qui lui sont alloués) placées sous l'autorité domestique de l'homme le plus âgé qui, traditionnellement, est le chef en temps de guerre et le juge en temps de paix. Subordonnés au chef on trouve ses seconds (indunu), proches parents de ce dernier et responsables des différentes sections du clan. Ce système fut adopté dans toute la nation sous le roi zoulou, à qui la plupart des chefs de clans étaient apparentés. Ces chefs conseillaient à leur tour le roi en matière administrative et judiciaire. Les cours de justice des chefs en appelaient au roi, qui était censé appliquer la loi coutumière. Dans cette société militaire hautement organisée, les garçons étaient, au moment de l'adolescence, répartis par "tranches d'âge". Chacune formait une unité de l'armée zoulou et était stationnée loin de son lieu d'origine, dans les casernes royales, sous le contrôle direct du roi. Constitués en régiments (impi), ces hommes n'étaient autorisés à se marier qu'au moment où le roi accordait sa permission à toute la tranche d'âge.

L'économie zoulou traditionnelle se fondait sur l'élevage du bétail et la culture des céréales, avec une subdivision du travail selon certaines catégories. On pratiquait la polygamie et le mariage suscitait des liens patrilinéaires et des alliances élaborées entre les lignées. L'union occasionnait le transfert du bétail que l'épouse recevait en dot (lobola). Les épouses d'un homme se rangeaient en fonction de leur antériorité sous l'autorité de la "grande épouse", mère de son héritier. Le lévirat (mariage obligatoire d'une veuve avec le frère de son défunt mari) et le mariage fantôme (mariage substitutif d'une femme avec le nom d'un parent décédé) faisaient aussi partie des coutumes. La religion zoulou traditionnelle était centrée sur le culte des ancêtres, la croyance en un dieu créateur et dans le pouvoir des sorciers et des sortilèges. Le roi accomplissait des rites pour susciter la pluie, et d'autres rites lors des semailles, en temps de guerre, de famines ou de sécheresse. Les pratiques liées à la magie étaient extrêmement répandues en vue d'obtenir des guérisons.

Shaka, né dans les années 1790, était le fils de Senezangakona (un chef zoulou lorsque ceux-ci ne formaient encore qu'un petit clan) et de Nandi (troisième femme de Senezangakona, et fille au caractère bien trempé d'un chef de clan voisin, le clan Langeni). On admet généralement que l'enfance de Shaka fut marquée par l'acrimonie résultant du conflit qui opposait ses parents, au point que Nandi fut renvoyée chez les siens – qui la considéraient comme la honte de son peuple puisqu'elle s'était fait engrosser par un homme du clan voisin. Si l'on en croit des récits historiques, Shaka grandit sans père au milieu d'un peuple qui le rejetait. Mais, dès son jeune âge, il donna des signes de prouesse physique et progressivement ses capacités de guerrier s'affirmèrent après qu'il eut rejoint la cour de Mthethwa, comme recrue. Il ne tarda pas à être élevé à un grade de commandant et, ce faisant, gagna la faveur du roi Dingiswayo.

Shaka, le conquérant de la plus grande partie de l'Afrique du Sud-Est, fut à l'origine de plusieurs innovations dans le domaine militaire qui transformèrent la manière de guerroyer. Il émit l'idée que "l'ennemi ne doit pas être complètement vaincu, mais incorporé dans la nation... Ainsi, il cessera d'être une source de danger permanent." Il commanda aussi la fabrication d'une lance courte. Il réussit à écraser d'autres groupes en abandonnant le lancé de javelot au profit d'une lance poignard plus puissante, et en employant de nouvelles tactiques militaires, dont une célèbre formation à laquelle son nom reste attaché. Il mit au point une technique de combat qui transformait son bouclier en arme offensive : il accrochait le bord gauche de son bouclier au bord gauche de celui de son opposant puis, d'un puissant revers du bras qui faisait pivoter l'adversaire vers la droite, le déséquilibrait et le neutralisait. Il répartit la totalité de ses hommes en régiments par tranches d'âge et les logea presque toute l'année dans des casernes dirigées par l'une de ses parentes. Là, il les entraînait à se déplacer en ordre rangé. Son objectif était d'encercler l'ennemi en avançant des formations au sein desquelles les vétérans étaient regroupés au centre, les régiments des jeunes se déployant en larges ailes qui venaient se refermer derrière l'adversaire. Il était interdit aux soldats de se marier avant d'avoir atteint environ trente-cinq ans, ce qui lui permettait d'avoir sous la main une force de combat permanente, entraînée aux manœuvres et à la lutte.

Après la mort de son père, Shaka fit valoir son droit au trône zoulou en déposant Sigujana (l'héritier choisi par son père), avec l'aide de Dingiswayo. Dès lors, Shaka commença à transformer de fond en comble la société zoulou. Il réforma l'armée par l'attribution des grades en fonction du mérite et non de l'hérédité. Dans l'armée de Shaka, les commandants comme les simples soldats, les aristocrates comme les petites gens, montaient ensemble au front. Il créa une armée disciplinée et unifiée en fondant des villes de garnisons pour chaque régiment, et en les plaçant sous le commandement d'un chef qui ne rendait de comptes qu'à lui. Il insufla à son armée le sens d'une destinée nationale commune.

D'un bout à l'autre de son règne, Shaka brilla par son invincibilité et son génie militaires. Toutefois son État, bien qu'organisé de manière novatrice, demeura un fragile palimpseste bâti sur des conquêtes brillamment menées, des alliances matrimoniales et un groupe de vassaux peu fiables. Pendant toute la durée de son règne, sa mère resta un conseiller de poids, à la fois politiquement et spirituellement. Shaka fut tué en 1828 par son demi-frère, Dingan, qui devint ensuite roi des Zoulou. Territoire par territoire, les Zoulou perdirent leur zone d'influence au profit des envahisseurs européens et furent plus tard contraints, après la victoire des britanniques, de se transformer en travailleurs immigrés en Afrique du Sud.

S. H.

Masaï

Les meilleurs guerriers nomades d'Afrique-Orientale

Les Masaï forment un groupe ethnique de bergers nomades d'Afrique-Orientale que l'on trouve principalement dans le sud du Kenya et le nord de la Tanzanie, dans l'immense et pittoresque Great Rift Valley. Extrêmement grands et minces, les Masaï parlent une langue du Soudan oriental (parfois appelé Maa), de la branche Chari-Nil de souche nilo-saharienne – langue qu'ils partagent avec d'autres groupes profondément différents par le nom, les origines et les caractéristiques culturelles. A la fin des années soixante, on estimait leur nombre à environ trois cent mille et on estime que les Masaï ont émigré depuis le nord jusqu'à leur territoire actuel aux XVIIe et XVIIIe siècles. Il faut noter qu'ils figurent parmi les rares groupes ethniques d'Afrique à n'avoir pas renoncé à leurs traditions, face aux transformations sociales radicales qu'amena avec lui le colonialisme.

La possession du bétail se trouve au centre de l'économie masaï, puisqu'il fournit la nourriture, principalement sous forme de viande, de lait et de sang. Les Masaï élèvent également des moutons, des chèvres et des ânes. Les Masaï regroupent un certain nombre de tribus patrilinéaires qui ont fusionné en deux classes ou branches – les Odo-Mongi, ce qui signifie "au bœuf brun rouge", et les Orok-Kiteng, "à la vache noire". Mais pour des raisons matrimoniales (ils sont exogames) ces tribus ont été subdivisées et ont reçu des noms distincts. A l'intérieur de ces groupes les individus savent au sein de quelle(s) tribu(s) ils sont autorisés ou non à se marier. La polygamie est pratiquée, surtout parmi les hommes les plus âgés, et les épousailles impliquent l'achat de la mariée par une abondante quantité de bétail payée par la famille de l'homme.

Pour les Masaï, l'intégration sociale se fonde sur une organisation par tranches d'âge. Selon cet arrangement, des groupes de personnes du même âge sont initiés à la vie adulte lors de la circoncision, pratiquée au cours d'une cérémonie ouverte et élaborée, dont la date est déterminée par un expert en rites (oloiboni) qui préside également à l'événement. Le groupe ainsi formé durera tant que ses membres vivront. Au fur et à mesure de l'arrivée de groupes plus jeunes, ils gravissent les échelons de la hiérarchie et acquièrent de nouveaux droits et de nouveaux devoirs, chaque étape s'étalant sur près d'une quinzaine d'années, depuis les guerriers juniors, les guerriers seniors, les anciens jusqu'aux très anciens – autrement dit ceux qui sont censés être en pleine possession de la sagesse et sont autorisés à prendre des décisions pour la communauté. Malgré cela, la société masaï est vraiment égalitaire ; ils n'ont jamais pratiqué l'esclavage. Les jeunes hommes d'environ quatorze à trente ans sont traditionnellement appelés murran, et portent leur chevelure en tresses décoratives. Dans cette tranche d'âge, ils vivent isolés dans la brousse, immergés dans l'apprentissage des coutumes de la communauté, et obligés de développer leur force, leur courage et leur endurance — qualités considérées comme vitales pour le bien-être individuel et la survie du groupe ethnique. Cette période de "murranité", qui se caractérise par la vigueur juvénile, est également un temps d'intense compétition. Les groupes et les individus se mesurent en faisant étalage de leurs prouesses guerrières, dans le but d'accroître leur réputation et de mériter le respect des hommes du même âge. Les hommes jeunes se livrent à des compétitions sportives tribales. Dans le cas d'une provocation venue de membres de leur propre groupe, ils se battront, mais sans armes.

Le cycle de quinze ans de "murranité" comprend ceux que l'on désigne comme "le côté droit", les murran les plus âgés, et ceux du "côté gauche", les murran plus jeunes récemment initiés. On accorde l'ancienneté, ainsi que certains privilèges, au murran lors de la cérémonie de l'eunoto, au cours de laquelle ils deviennent des murran "du côté droit" et entrent dans une nouvelle tranche d'âge, moins jeune. Cette ancienneté entraîne un style de vie moins flamboyant et plus noble. C'est un premier pas vers la dignité d'ancien. Plus tard, le côté droit et le côté gauche

seront réunis dans un seul groupe d'âge pendant la cérémonie de l'olngesher, où ils deviennent des anciens. La supériorité politique et morale des anciens est rehaussée quand la tranche d'âge qui a remplacé ces anciens en tant que murran, remplace à son tour une autre tranche d'âge quinze ans plus tard. On les appelle alors les "maîtres du tisonnier" des murran, et ils ont le pouvoir de les bénir ou de les maudire. Au moment où les murran d'un groupe accèdent à la maturité et passent chez les anciens, leurs "maîtres du tisonnier", qui ont à peu près trente ans de plus, atteignent à la sagesse politique et à la vieillesse.

La cérémonie festive de l'eunoto se tient lorsque les anciens décident que les murran ont gardé suffisamment longtemps les biens (les troupeaux) de la communauté. Ils désignent alors un lieu adéquat et un murran de valeur (choisi selon des critères d'honneur et de réputation), qui fera franchir aux autres cette étape. Les critères de sélection exigent aussi qu'il soit en bonne santé, bienveillant, d'humeur égale, qu'il n'ait pas de cicatrices, qu'il ne soit ni gaucher, ni ambidextre, ni impuissant, qu'il n'ait pas commis de meurtre, et que ses parents soient tous deux de purs Masaï. Une fois ce choix effectué, l'expert (oloiboni) l'accepte ; suit alors l'abattage rituel de l'un de ses bœufs. La tradition exige qu'il soit le premier à boire le sang au cou de l'animal.

Un homme doit attendre pour se marier que sa tranche d'âge ait guerroyé. Les mariages sont en général arrangés et l'épouse va vivre dans le village de son mari. Les lieux de résidence des Masaï (kraals) se composent d'une grande barrière formée de buissons épineux entourant un cercle de maisons construites dans un amalgame de fumier et de boue, et abritant jusqu'à huit familles et leurs troupeaux. Une première épouse bâtit la maison de son mari à l'intérieur de cet enclos. Ensuite elle-même et les autres épouses bâtissent leurs propres maisons à gauche et à droite de la sienne en fonction de leur ancienneté. Chaque femme a des droits exclusifs sur la traite de certaines vaches de son mari, et plus tard, son (ou ses) fils prendra possession de ces animaux et de leur progéniture, au moment de son mariage.

Comme dans toutes les autres sociétés traditionnelles, le processus de la reproduction est hautement valorisé chez les Masaï, et par conséquent célébré par la danse. La danse de fertilité féminine s'appelle oloiroshi et implique que les femmes aillent d'un village à l'autre en chantant, pour saluer les autres femmes et se laisser accueillir. On sacrifie des animaux pour elles, et on enduit leurs vêtements de leur graisse. Le matin, elles continuent de chanter dans le corral, et versent de l'herbe alentour tout en bénissant la demeure, puis elles se déplacent vers un autre village où le même rituel se déroule. Dans la tradition masaï, la communauté entière prend soin des femmes enceintes. Leur régime est étroitement contrôlé pour leur bien-être et celui de l'enfant à naître. Pendant les derniers mois de la grossesse, la femme ne consomme pas de lait frais ni de grandes quantités de nourriture afin que son bébé ne soit pas trop gros, et ne rende pas l'accouchement périlleux. Cependant, si elle est prise d'une envie subite de viande fraîche, la communauté lui permet de consommer les morceaux qu'elle désire. Si on abat un animal, son mari peut exiger une partie de la viande pour la femme enceinte, et on ne la lui refuse jamais.

Une sage-femme aide à l'accouchement. Selon la tradition, une fois le cordon ombilical coupé, la sage-femme déclare : 'Tu es désormais responsable de ta vie comme je suis responsable de la mienne." Le placenta est alors éliminé de manière appropriée. La mère doit ensuite boire du miel. Si l'enfant est un garçon, le père recevra du sang de bétail. Puis on bénit la maison du nouveau-né. Le lendemain matin, les femmes commencent à se réjouir, elles égorgent un mouton dont il est interdit aux hommes de manger. Puis on tue un autre mouton dont on fait fondre la graisse pour que la femme la boive. Cette fois-là, hommes et femmes participent en mangeant la viande. S'il le souhaite, le mari peut abattre n'importe quel autre animal pour son épouse. On donne au nouveau-né du lait dilué avec certaines herbes en plus du lait maternel.

Actuellement, les gouvernements du Kenya et de Tanzanie essaient d'encourager les Masaï à accepter une vie sédentaire et la scolarité, et donc à abandonner le nomadisme comme mode de vie, afin de parvenir à une meilleure intégration.

S. H.

Nouba

Les athlètes de la montagne

Les Nouba, peut-être l'un des groupes ethniques africains chez lequel les traditions restent les plus vivaces, vivent dans les Monts Nouba, dans la région de Kordofan, au sud du Soudan central. Dans cette région, des collines granitiques déchiquetées, aux reliefs variés, omniprésentes, dominent une vaste plaine argileuse. Cette situation a, jusqu'à une date récente, contribué à limiter les contacts avec le monde extérieur et permis le maintien d'une culture indigène.

Les Nouba vivent dans ces montagnes, ou à proximité, depuis plus de deux cents ans, tandis que les plaines accueillent une population essentiellement composée d'Arabes baqqarah. Les Nouba regroupent des populations disparates, qui diffèrent par le type physique et la culture mais parlent tous des langues nouba. Ils vivent de l'agriculture, pratiquant la culture en terrasse et l'exploitation des plaines, où ils cultivent le millet, le maïs, les haricots et les oignons. Ils élèvent également du bétail, des moutons, des chèvres et des ânes.

Les Nouba ont une structure sociale particulière. Leurs pratiques religieuses se confondent avec des rites agricoles et impliquent, entre autres, des sacrifices d'animaux aux esprits des ancêtres pour conjurer la pluie et bénéficier de récoltes abondantes. Les liens de parenté sont, en gros, de tradition matrilinéaire au sud et patrilinéaire ailleurs. Les mariages sont contractés grâce à des paiements effectués sous forme de bétail sur pied et de services agricoles. Les femmes jouissent d'une valeur presque égale à celle des hommes. Comme dans la majorité des sociétés africaines, les vieillards (hommes et femmes), sont respectés pour leur perspicacité, leur sagesse et leur inégalable expérience. Il est révélateur que le même respect s'applique aussi bien aux enfants nés avant le mariage qu'à ceux nés après. Dans les collines les plus reculées, les hommes vivent encore nus, uniquement oints d'une huile corporelle ; les femmes portent des perles, et des plateaux aux lèvres. Étant donné que la culture nouba célèbre la beauté et la perfection physiques, l'ornementation et la mise en valeur du corps font partie du quotidien (surtout chez les jeunes), et sont fortement encouragées dans leurs diverses manifestations.

L'un des aspects essentiels de la culture nouba est le rôle joué par le sport, les deux principaux étant la lutte et le combat au bâton. Le combat de lutteurs, envisagé comme un rituel qui élève l'esprit, est l'expression du mode de vie des Nouba, en même temps qu'il le conforte. Dès leur jeune âge, les garçons imitent les mouvements des lutteurs tels qu'ils les voient chez leurs aînés, rêvant de gagner un jour un combat de cérémonie et d'être sélectionnés pour "l'initiation" qui mène aux plus hauts niveaux de ce sport – et qui constitue l'honneur suprême pour un Nouba. Le conseil des anciens décide du moment et du lieu des combats de cérémonie, qui se déroulent en général après la première moisson, aux alentours de novembre et décembre. Les combats se poursuivent toutefois jusqu'à la fin mars, leur fréquence dépendant de la qualité des moissons. Une fois fixés le jour, l'heure et le lieu du combat, des messagers sont dépêchés dans les villages les plus reculés afin d'informer la population, sonnant de la trompette et frappant des coups saccadés au sol – ce qui signifie qu'un combat va se dérouler. C'est en général l'occasion de réjouissances pour toute la communauté.

Les femmes préparent des breuvages locaux pour elles-mêmes et pour les autres spectateurs. Les combattants ne sont autorisés à boire que du lait et de l'eau. Des villages entiers franchissent des kilomètres pour rejoindre le lieu du combat. Le lutteur champion est vêtu d'une tenue de cérémonie, le drapeau déployé de son village l'accompagne tout au long du chemin jusqu'au lieu de la compétition. En s'approchant du village d'accueil, les villageois se regroupent en une escorte spectaculaire et bruyante afin d'exprimer leur solidarité et leur puissance. Cette manifestation est l'occasion d'énormes rassemblements de gens venus de différents villages, agitant avec exubérance leurs drapeaux. Seuls les invalides ne participent pas à la fête.

Parés de pierres de couleurs et de calebasses, le corps peint de cendre et recouvert de divers ornements, les lutteurs dansent dans l'arène en portant différents objets, et martèlent le sol de leurs pieds en imitant le mugissement du taureau – un exercice d'où l'élément spirituel n'est pas absent. Avant d'entamer le combat, ils remettent à leurs assistants leurs coiffures, leurs bracelets de cheville en cuivre et leurs colliers de perles. Les lutteurs évitent d'affronter leurs amis à l'occasion d'un combat. Ils choisissent leurs adversaires, s'agenouillent en se repliant sur eux-mêmes dans une attitude agressive, et s'observent l'un l'autre en jugeant du moment opportun pour engager le combat. Si le lutteur mis au défi n'est pas prêt à se battre, il peut quitter l'arène, mais dans certains cas les lutteurs s'y refusent, de peur de perdre la face. Si un lutteur veut combattre un grand champion, il s'agenouille devant lui, puis danse autour de lui, les paumes des mains touchant le sol. Aucun lutteur ne s'opposera à ce défi. Avant que le contact physique ne s'engage, plusieurs couples de lutteurs se seront scrutés de la tête aux pieds. A l'issue du combat, les vainqueurs sont portés en triomphe autour de l'arène sur les épaules des hommes du village, pour une danse de victoire. Si un lutteur a vaincu un opposant renommé, la coutume veut que son père tire une salve de fusil. Le gagnant est ensuite lavé à l'eau et aspergé de cendres. On conserve la moitié des cendres dans une gourde dans le camp pour le prochain combat, quand le lutteur aura besoin de force et de protection. Pendant ces combats de cérémonie, un lutteur peut relever de dix à vingt défis.

Les luttes s'achèvent traditionnellement par une danse, myertum, littéralement "danse d'amour". Elle débute par une rafale de tambours tandis que les femmes (drapées de plumes d'autruche, des broches en cuivre ornant parfois leurs cheveux) s'approchent en dansant par petits groupes, parfois escortées de leurs mères. Le bruit des tambours et la danse s'intensifient. Les femmes les plus âgées s'asseyent à côté des joueurs de tambour et assurent l'accompagnement vocal. Les lutteurs, parés pour l'occasion, se déplacent lentement en oscillant selon le rythme, une jambe en l'air, maintenus en équilibre par leurs bâtons, et en criant "shakula", un ancien cri traditionnel des Nouba. C'est en général dans ces circonstances, et aux yeux de tous, que femmes et hommes choisissent leur conjoint. Une grande fête nocturne marque la fin des combats. Les lutteurs dansent en groupes, de lourdes chaînes aux cloches métalliques s'enroulent autour de leurs corps. Les femmes boivent le marissa (breuvage local), affichent leur fierté d'avoir des époux ou des fiancés parmi les champions. Elles ne sont pas censées avoir de relations avant la fin des combats. La lutte, notons-le, est l'occasion pour le Nouba d'affirmer sa puissance aux yeux de ses pairs, ce qui accentue du même coup la solidarité au sein de la famille et du village. En un mot, les matchs sont aussi, pour tous les villageois, l'occasion de se retrouver pour célébrer leur identité et leur culture collectives.

Dans un autre domaine, on peut noter que chez les Nouba seules les femmes pratiquent le tatouage et la scarification corporelle. L'importance de ces pratiques est variable. Outre leurs justifications dans des buts rituels, ces coutumes ont aussi une fonction esthétique, qui rehausse les traits physiques et indique le village ou le clan auquel une jeune femme appartient. On a aussi avancé que ces scarifications pouvaient servir de vaccins, la pénétration de germes dans les coupures suscitant la production d'anticorps. Les tatouages sont exécutés par la spécialiste du village avec un wora (épine crochue) et un tembala (petite lame). Les femmes nouba se font en général tatouer trois fois au cours de leur vie. Le premier tatouage, turare, consiste en une série d'entailles effectuées de chaque côté de l'abdomen au-dessous du nombril ; il est pratiqué dès la puberté, au moment où la poitrine commence à se développer. Plus la marque est profonde, plus elle sera durable (puisque les cicatrices s'effacent), et plus elle sera attrayante. Le second cycle de tatouage, kare, qui inclut une série de lignes parallèles latérales sur les seins, et se poursuivant dans le dos sur toute la largeur du corps, est réalisé après la première menstruation. Cette opération plus compliquée et plus douloureuse (au cours de laquelle les jeunes filles sont censées montrer leur endurance) a lieu dans un endroit reculé et seules les femmes de la famille sont autorisées à y assister. On vaporise de la farine de sorgho sur ces blessures pour atténuer la douleur et empêcher l'infection.

La dernière session de tatouage, rurola, est pratiquée chez la mère après le premier enfant. Cette cérémonie, nettement plus douloureuse, provoque bien souvent des évanouissements dus à la perte de sang, et peut durer jusqu'à deux jours d'affilée. On effectue de très petites incisions sur tout l'arrière du cou jusqu'à la lisière de la chevelure, et sur la partie supérieure et la partie inférieure des bras, le premier jour ; le lendemain, sur les hanches, les jambes et les fesses. Cette

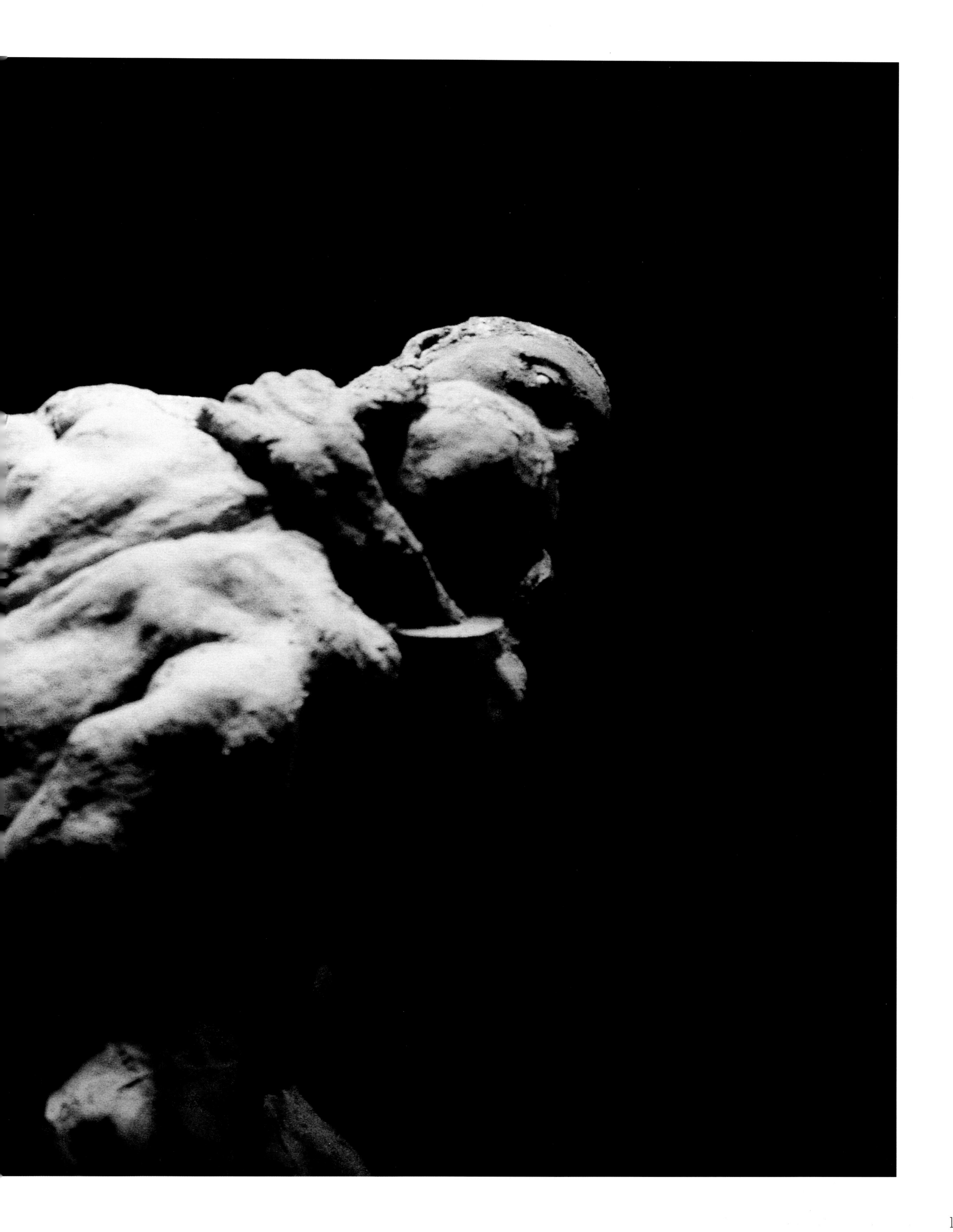

coutume entraîne des frais énormes, dont le mari s'acquitte en donnant du grain, des poulets, des chèvres et plusieurs litres d'huile. Une femme peut (et cela arrive bien souvent) quitter son époux s'il refuse de payer. Cette dernière étape n'est pas seulement justifiée par une recherche de la beauté ; elle signifie, en plus, la fin de l'interdiction des relations sexuelles après l'accouchement. La communauté considère que cette ultime scarification rend la femme extrêmement séduisante. Pendant ces cérémonies, les femmes se doivent de rester calmes malgré l'inévitable douleur. S'il arrive qu'une femme meure sans avoir subi ces épreuves, la croyance veut qu'un esprit les lui impose dans une autre vie, avec de grosses épines particulièrement pénibles à supporter. Si les femmes se soumettent à ce rite, c'est plutôt en réponse aux exigences esthétiques de la société à laquelle elles appartiennent que par crainte de sanctions surnaturelles. Les seules jeunes filles dispensées de ce rite sont celles qui souffrent de troubles dus à l'hémophilie, et dont les blessures mettent plusieurs jours à se cicatriser.

S. H.

Témoignages et documents

Art africain et sculpture savante

On a pu s'étonner que le continent africain, si riche de sa tradition créatrice de masques et de statues traditionnelles, ne semble plus susciter aujourd'hui de vocations de sculpteurs. Et certains d'attribuer cette carence actuelle au poids de l'héritage, à la colonisation, aux missions chrétiennes ou à l'influence croissante de l'Islam et à sa prétendue interdiction de la représentation humaine (un interdit en réalité venu des dits du Prophète et qui porte essentiellement sur les idoles, les "pierres levées", en rivalité avec Dieu).
Il faut noter que certaines ethnies ont maintenu et maintiennent une continuité créatrice évolutive, y compris dans ce matériau privilégié que fut le bois – ainsi les Yorouba (deux millions d'individus) parmi lesquels on trouve des individualités enfin identifiées par les Européens (Kenneth Murray, William Fagg les premiers...) et non plus un art simplement "anonyme" ou "tribal" : Arowogun d'Osi, mort en 1954 ; Olowe of Ise, mort en 1938 ; Bamyboyo ; Bandele ; Lamadi Fakege ; Ganiku Fakege, etc. Ou encore, pour les Bembe au Zaïre, Selemani M'tema (vers 1880-1950). Par ailleurs, un regard plus attentif sur la situation contemporaine dément ce pessimisme.

Ainsi, depuis peu, un déni éclatant à ces affirmations est donné par un sculteur sénégalais né en 1935, ancien kinésithérapeute de Dakar, qui a modelé des corps puissants de lutteurs Nouba – ces athlètes d'une lutte traditionnelle paysanne devenue un sport national très populaire dans tout le pays –, qu'il représente nus, le sexe évident, dans des moments d'affrontement ou de repos, le visage strié de peintures corporelles en bandes colorées, les bras chargés de lourds bracelets et d'amulettes. Ousmane Sow, tel est son nom, exécute ses sculptures fidèles à la tradition africaine sans modèle ni esquisse préalable, sur des fers de béton enrobés d'une paille blanche de plastique puis de toile qu'il recouvre d'un matériau de son invention conservé et malaxé pendant des années (il s'agit d'un mélange d'une vingtaine d'ingrédients résistant aux intempéries).

D'abord sculpteur amateur, Ousmane Sow présenta un bas-relief lors du premier Festival des Arts nègres de Dakar, en 1966. Mais il ne fit connaître ses personnages qu'en 1988, d'abord à Dakar, puis à Bordeaux, Marseille, Troyes, Angoulême, Montbéliard, Montpellier et Paris. Par le contact direct avec les œuvres, mais aussi grâce à des reproductions, il avait reçu le choc de Rodin, Maillol et même de Giacometti qui l'avaient bouleversé. Ses œuvres reproduisent des thèmes aussi variés qu'une figure d'esclave aux pieds de Toussaint-Louverture, ou une suite sur les Zoulou. L'ensemble de son œuvre, d'une force expressive étonnante et aux modelés subtils, témoigne d'une énergie vitale transmise et d'une émotion qui semble héritée d'un très lointain passé africain.

Pierre Gaudibert
Extrait de *Art africain contemporain*, Diagonales, 1991

Les vies denses

On m'a donné cette histoire pour vraie. Au début de l'été, un sculpteur qui travaille dans une cour où jouent des enfants se fait livrer un bloc de marbre brut. Au retour des vacances, devant la sculpture terminée, une petite fille : "Comment tu savais qu'il y avait un cheval dans cette pierre ?"
La première fois que j'ai vu les lutteurs d'Ousmane Sow, leur force, leur évidence, leur matière organique à la fois terreuse et synthétique, magma, treillis de paille et de racines rouillées, j'ai pensé qu'il avait pu les extraire du sol, d'un seul tenant, comme déjà façonnés. Comme s'ils avaient été secrétés dans le sol d'Afrique par je ne sais quelle sédimentation. Je n'aurais pas été étonné d'apprendre qu'autour de l'atelier se trouvaient leurs formes en creux, leurs matrices, et que d'autres corps s'y développaient. Que la terre "humanisée" y levait comme du pain. Et puis, tant est puissant ce qui s'y exprime d'humain, tant est tactile et sensuelle l'empreinte physique du sculpteur, une évidence contraire s'est imposée : ces corps n'avaient pu être pétris et levés qu'à main d'homme.

Exaltées, grosses d'ancestrales colères, de vie mouvante mais sereines pourtant, pleines de tensions internes. Rudes, archaïques et pourtant si charnelles, empreintes d'une noblesse plastique qui donne à la boue la gravité du bronze, les sculptures d'Ousmane Sow disent la permanence de l'homme, de son corps, de ses désirs et de ses rêves. A travers ces présences si fortement terrestres et physiques, c'est pourtant quelque chose de l'ordre du spirituel qui résonne et s'entend.
Probablement parce qu'Ousmane Sow ouvre ses bras, ses yeux, son cœur à cent quatre-vingts degrés, il y a dans ses œuvres ce qui ne peut se nommer que l'unité des contraires : une faculté complexe et mystérieuse qui suscite une chose, et aussi fort son envers.
Ainsi, ce sentiment que ces créations viennent d'ailleurs, qu'elles sont nées loin, d'une autre culture, tout en s'imposant à nous comme intensément fraternelles, elles l'auraient été aussi aux Olmèques, aux habitants de la grotte de Gargas ou à Guido Mazzoni.
En chacun de ces visages une individualité caractérisée (profondeur du regard, architecture du squelette, dessin des lèvres...) suggère la personnalisation troublante d'un portrait, pourtant c'est cette singularité même qui semble dire : c'est un homme et c'est l'"homme", en majesté. Comme si respirait, battait, vivait en chacun toute la communauté. Il en va pareillement des attitudes, des gestes, à la fois simples, familiers mais lavés de toute anecdote : c'est le mouvement même qui devient forme, une évidence stable, intériorisée, chargée de gravité. Des signes du quotidien deviennent intemporels.

Ousmane Sow ne court pas dans le couloir étroit d'un art asthmatique réduit à ne plus raconter que sa propre histoire, matérielle et immédiate. Il arrive du Sénégal avec un autre souffle, une ampleur je dirais monumentale, si ce n'était – unité des contraires encore – qu'il n'y a là aucune monumentalité.

Ernest Pignon-Ernest

Les lutteurs

Ousmane Sow s'est révélé, dans son pays comme à l'étranger, l'un des espoirs de la sculpture issue de l'Afrique subsaharienne. Cet artiste sénégalais, qui vit à Dakar, a pris pour thèmes de son œuvre ces athlètes de la lutte traditionnelle que tous connaissent là-bas par leur nom et le catalogue de leurs exploits. Ces luttes sont un jeu rituel aux codes subtils, aux étapes précises et réglées – depuis la présentation des adversaires sous un dais qui permet à la foule d'admirer leur poids, leur musculature et leur force.
Autrefois, surtout dans les ethnies Serer et Wolof, des combats de lutte entre villageois se déroulaient au temps des récoltes, le plus souvent la nuit, à la lueur de feux de bois. Dans les années vingt et trente de ce siècle, cette tradition s'est déplacée de la brousse vers les villes, dans des arènes aménagées à cet effet, et les affrontements se sont changés en un sport national qui tient une grande place dans la presse et les médias sénégalais.

S'opère là une symbiose réussie entre la tradition et la contemporanéité, et l'affirmation d'une identité nationale non pas figée mais en perpétuelle construction et devenir... Car les lutteurs se doivent d'être aussi des danseurs, voire des chanteurs ; des poèmes-chants sont créés pour accompagner, dans une suite de quatrains très brefs, la beauté et l'excellence de ces lutteurs – à la façon dont les griots célèbrent les chefs de guerre ; des poèmes-chants sont déclamés ou chantés, dont certains ont été traduits par Léopold Sedar Senghor.

Ousmane Sow présente les lutteurs nus, dans un style puissant et monumental ; la couleur mate de leurs corps tranche avec les quelques lignes et signes de vive polychromie de leurs visages. Il a inventé des mélanges de matériaux pour les modeler – ce qu'il fait sans modèle, du fait de la sensibilité tactile et de la connaissance intime de la musculature qu'il a acquises dans son métier antérieur de kinésithérapeute. Chaque figure humaine est simultanément universelle et le portrait d'un champion, qu'il peut montrer au repos, assis ou allongé, dans le face-à-face ou dans l'emmêlement des corps, ou encore en pleine action.

Cette représentation des corps, sexes compris, par un artiste mulsuman de cet Islam noir au contact des peuples noirs et de leurs cultures, devrait enfin balayer les préjugés encore répandus sur les interdits de la représentation, et *a fortiori* de la nudité, dans cet univers religieux. Une fois de plus, il faut redire qu'ils ne concerne que la fabrication des idoles, en rivalité avec Dieu. Un sculpteur audacieux le prouve d'une façon tout à fait personnelle : Ousmane Sow !

Pierre Gaudibert

Le début de l'aventure

Souvenirs d'une exposition

Certaines rencontres fortuites transforment le cours des choses. Celle qui m'a permis de faire la connaissance d'Ousmane Sow en fait partie. Cela remonte à près de treize ans, mais j'en ai conservé de fortes images, toujours présentes à ma mémoire.

J'étais alors en poste au Centre culturel français de Dakar. Ce devait être un après-midi d'octobre ou de novembre 1986... Michel Madly poussa la porte de mon bureau ; direct, précis, homme pressé et passionné, passant d'un pays à l'autre pour toujours revenir à cette presqu'île et à nouveau en repartir.
Nous ne nous étions jamais vus mais très vite il me parla d'un homme, un ami, qui travaillait là, à proximité du Centre culturel, sur le "plateau" [le quartier administratif et résidentiel de Dakar]. Masseur kinésithérapeute, cet homme ne quittait son cabinet du centre-ville que pour rejoindre directement une petite villa située à Yoff dans les nouveaux quartiers près de l'océan. Là, il pétrissait des terres mêlées de décoctions secrètes, il habillait de chair de paille synthétique et de peau de jute des squelettes de fer.
Parfois, il détruisait tout... depuis des années... depuis ce séjour en France où, parti suivre les cours des Beaux-Arts il en était revenu avec un diplôme et une formation médicale : il lui avait bien fallu vivre !

Il fallait faire vite, de crainte que ne disparaissent à leur tour ces œuvres que je ne connaissais pas. Nous sommes donc partis voir Ousmane à son cabinet.
Je découvris un géant doux, parlant simplement de sa passion et de son art. Un ou deux jours plus tard, je l'accompagnai à Yoff, dans sa petite Simca 1100. Nous nous sommes arrêtés en bout de piste et avons poursuivi dans le sable notre cheminement vers la maison. La cour en L ne permettait pas une vision d'ensemble de celle-ci. Mais, une fois contourné l'angle du mur... ils apparurent ; les trois premiers : le lutteur accroupi, celui debout et le troisième allongé, le buste supporté par son avant-bras gauche, inachevé. Je n'ai pas parlé, me contentant de faire le tour de ces êtres mythiques, si proches, statufiés, d'où l'on sentait pourtant sourdre la vie.
Je ressentais l'impression d'éternité qui émane de l'œuvre imprégnée de l'essence même de son créateur.

Je crois que nous avons dû prendre un thé, ou un café, et nous avons parlé longtemps, de tout... de ses bonnes qui le quittaient sans prévenir, effrayées par ces présences si fortes qu'elles croyaient y voir l'incarnation de quelques fabuleux ancêtres. Ce fut un moment chaleureux, serein, d'extrême connivence.
J'étais bien au-delà de l'enthousiasme, il était, ils étaient, incontournables, évidents ; il fallait qu'on les voie, pour qu'ils nous rappellent ce que nous sommes, de toute éternité, morts et vivants.

Lorsque je pris congé d'Ousmane, j'avais réussi à le convaincre que nous allions organiser ensemble sa première grande exposition, dans les jardins du Centre culturel français, en juin et juillet 1987.
En fait, à cette époque, peu de gens connaissaient ou semblaient connaître Ousmane Sow. J'appris toutefois qu'il avait exposé au Festival des Arts nègres de Dakar en 1966, et qu'il y avait été remarqué. Depuis, plus rien ; vingt ans à masser des corps et presque autant à créer et détruire des œuvres, toujours insatisfait jusqu'à celles-ci, jusqu'à ce moment où ses créations l'avaient bouleversé, où elles l'avaient fait non pas douter mais plonger dans cette sorte de "flottement" qui suit l'aboutissement d'une longue et difficile quête.

A dater de cette première rencontre, nous n'avons vécu que pour la préparation de l'exposition. Nous surmontions les obstacles sans difficulté, trouvant des solutions à

tout. Ousmane alternait de longues périodes de "mûrissement" pendant lesquelles il ne touchait plus à ses sculptures, et des périodes de créativité frénétique où tout pouvait prendre forme en quelques jours.
Je lui fis rencontrer quelques personnes, dont un ami photographe à l'AFP avec lequel nous réalisâmes la première plaquette et l'affiche de l'exposition, ainsi que le directeur régional de la société Total, dont l'aide nous permit de financer notre projet.

Je me souviens très bien du jour où, à trois ou quatre mois de l'exposition, les trois premières statues étant achevées, nous avons décidé de faire les photos de l'affiche. Ce fut une véritable expédition. J'empruntai le camion du Centre culturel français que pilotait notre chauffeur Joseph, accompagné de Doudou, Ba et Amadou, et je pris ma Land Rover. Nous nous sommes rendus à Yoff, à la villa d'Ousmane, et nous avons sorti de la concession les statues enveloppées dans de grands draps blancs pour éviter de nous exposer à la colère d'un marabout et à la vindicte de fidèles peu préparés à des représentations de nus. Une fois chargées dans le camion, nous avons pris la direction du lac Rose et de ses plages désertes.
Le vieux Saviem fut arrêté à quelques centaines de mètres de la plage, en bout de piste ; ensuite, l'une après l'autre, nous avons transporté les trois statues sur la galerie de la Land Rover pour franchir le cordon de dunes et les amener jusqu'au bord de mer.
Sur ces plages infinies de la côte nord du Sénégal où soufflent les alizés, où l'océan déferle en rouleaux d'écume blanche sur le sable, nous avons installé les trois lutteurs.
Dans un tiroir, il me reste quelques affiches...

D'autres souvenirs reviennent... l'installation de l'exposition et les visages stupéfaits du personnel du Centre culturel. "Radio Trottoir" fonctionne à plein régime. Dans les jardins des camions arrivent, déversent des tonnes de sable sur la scène du théâtre de verdure. Puis c'est l'inauguration, un samedi. Des centaines de personnes viennent. Des hommes avec des "gris-gris" officient à proximité. Des gens touchent les lutteurs d'Ousmane, des femmes rient, certains font dix fois le tour d'une statue, s'assoient, la regardent, se lèvent, vont s'asseoir ailleurs, regardent encore...
Ils existent ! Et, soudain, voilà leurs frères humains, demi-nus, aux torses larges et luisants, comme eux.
"Double Less" contre l'autre grand lutteur du moment, les deux héros de la lutte sénégalaise ; délire dans la foule, passe rapide sur le sable, une chute, une épaule touche le sol, ça n'a duré que quelques secondes. "Double Less" triomphant lève les bras, les Djembe battent, le public exulte, une marchande est agenouillée face au lutteur accroupi, elle essaie de capter son regard.

Pendant deux mois ils viendront tous les voir, ils se presseront autour d'elles – les dakarois, ceux du plateau, de Yoff, de Pikine, des Sicaps Liberté, marchandes, étudiants "disquette", mendiants, "Drianké", fonctionnaires, "mindale", "taximan" toute la ville en parle.
On aurait dû filmer, filmer la vendeuse de poisson et son cabas, fascinée par ces créatures, les gosses de la rue qui amènent leurs copains, les artistes qui se remettent en question, cette impression de bonheur chez les gens...

Après le Centre culturel français, Ousmane a présenté ses statues dans les stations-service Total, dans la médina. Pour la première fois, on a vu des foules entières visiter des stations-service.
C'était le début de l'aventure. Depuis, Ousmane a rencontré beaucoup de gens, certains l'ont aidé, d'autres sont passés à côté sans comprendre, mais il a toujours su poursuivre sa route sans concession, fidèle à lui même

Philippe Chamoin

Native to Native

Les Sioux
héros de la résistance indienne

Les Sioux forment un groupe possédant sa propre langue siouan au sein du peuple, ou des peuples confédérés, des Indiens des plaines nord-américaines. Il existait trois principaux groupes de Sioux : les Santee (Dakota), les Yankton (Nakota) et les Teton (Lakota). Chacun se composait de plusieurs sous-groupes. Les Santee, ou Sioux de l'Est, comprenaient les Mdewkanton, les Wahpeton, les Wahpekute, et les Sisseton ; les Yankton incluaient les Yankton et les Yanknai ; et les Teton, ou Sioux de l'Ouest, comptaient sept subdivisions – les Sihasapa (Pieds-Noirs), les Brulés (Inférieurs et Supérieurs), les Hunkpapa, les Minneconjou, les Oglala, les Itazipcho (Sans-Arc), et les Oohenonpa (Deux-Bouilloires).

Les Sioux vivaient dans des tipis. Leur culture, comme celles des autres communautés d'Indiens des plaines, se caractérisait par la mobilité que permettait le cheval, une économie fondée sur le bison (ou tout autre gros gibier), l'importance attachée aux visions, aux guerriers (qui faisaient aussi la police), et à une forme élaborée de Danse-du-Soleil – leur principale fête tribale. Chez les Sioux, l'accomplissement d'actes guerriers héroïques était la meilleure manière, pour les hommes, d'accéder à un rang et à un prestige. Les chevaux et les scalps rapportés au retour des raids donnaient la mesure du courage. Le culte de la guerre et celui du surnaturel se mêlaient, et les motifs entr'aperçus lors de visions mystiques étaient peints sur les boucliers dans un but apotropaïque. Leur religion mettait l'accent sur une force surnaturelle omnipotente (wakan) et sur le caractère sacré du calumet de la paix. Elle stipulait également que quatre puissances présidaient sur l'univers, chacune d'elles étant à son tour divisée en quatre hiérarchies. L'image du bison jouissait d'une place prépondérante dans leur religion. Les femmes sioux étaient expertes en broderies de perles ou de piquants de porcs-épics, travaillés selon des motifs géométriques.

De toutes les tribus des plaines, les Sioux, guerriers hors pairs, étaient les plus déterminés à s'opposer à l'empiètement sur leurs terres de l'homme blanc. Crazy Horse naquit à une époque où le territoire des Sioux Teton et Yankton était de plus en plus fréquemment envahi par les Blancs, après la Ruée vers l'or de 1849. Il avait reçu une éducation strictement conforme aux coutumes tribales, où l'accent était mis sur l'abnégation au profit de la communauté. Cet enseignement insistait aussi sur la générosité (au profit des plus pauvres) et sur le courage. Dès sa prime jeunesse, Crazy Horse fut un guerrier légendaire. Avant treize ans, il volait déjà des chevaux aux Indiens Crow. A seize ans, il s'engagea dans une attaque contre les Gros-Ventres où il se distingua, et sans attendre sa vingtième année, il prit pour la première fois la tête d'une bande de guerriers. Comme tous les bons jeunes Sioux pendant l'adolescence, il passait énormément de temps à prier et à jeûner, seul et en pleine nature.

Crazy Horse atteignit sa majorité alors que la crise entre les Etats-Unis et les Sioux atteignait un apogée. Il avait déjà fait ses preuves dans les combats entre Indiens. Il avait vingt et un ans lorsque tous les chefs sioux teton se réunirent en conseil en 1865 dans le but de définir une tactique vis-à-vis de l'ennemi. Ils avaient déjà autorisé l'Oregon Trail [ancienne route reliant le fleuve Missouri au fleuve Columbia, longue d'environ 3200 km] et accueilli les négociants blancs. Mais à leur grand ahurissement, ils avaient constaté que l'envahisseur avait tracé d'autres routes et construit des forts sur leurs terrains de chasse préférés. Ils décidèrent de prendre d'assaut ces places fortes situées sur leur territoire ; c'est à cette occasion que Crazy Horse fut choisi comme chef d'une troupe de guerriers-leurres dont la mission consistait à attirer les soldats ennemis hors des forts, tandis que des centaines de guerriers sioux les attendraient en embuscade. La maestria avec laquelle Crazy Horse sut tirer parti de ses hommes ne fit qu'accentuer le succès de cette ruse. Dès lors, une guerre générale s'engagea. Sitting Bull (chef hunkpapa et homme-médecine, qui devint plus tard le grand chef de toute la nation sioux) le considérait comme un guerrier hors pair. Ainsi, pendant les dix ans de guerre défensive qui s'ensuivirent, on compta sur lui pour mettre en œuvre les décisions du conseil.

Crazy Horse combattit dans la guerre de 1865-1868 menée par le chef Oglala Red-Cloud contre les colons américains du Wyoming. Son premier affrontement avec les soldats des Etats-Unis eut lieu sur la vieille Oregon Trail, le 25 juillet 1865, à Platte Bridge, où il servit de leurre pour faire sortir les soldats ennemis de leurs postes de défense. Ayant encore perfectionné ses dons de guerrier, il joua un rôle de premier plan dans la destruction de la brigade de William J. Fetterman à Fort Phil Kearny en 1867, grâce à sa conduite audacieuse des guerriers-leurres qui attirèrent l'adversaire dans un piège. Il prit aussi la tête de nombreuses attaques à l'occasion de sorties de reconnaissance dans les Black Hills. A la suite de ces défaites, les États-Unis signèrent le deuxième Traité de Fort Laramie, en 1868, qui garantissait aux Sioux la possession exclusive de la région du Dakota du Sud, à l'ouest du Missouri. Mais la découverte d'or dans les Black Hills, dans les années 1870, entraîna avec elle une marée de chercheurs d'or blancs qui déferla sur les territoires réservés aux Sioux, enfreignant ainsi le traité. Le département de la Défense, se refusant à expulser les colons blancs du territoire des Sioux, et considérant que les incursions ponctuelles de ceux-ci rompaient le traité, expédia tous les clans Lakota dans des réserves et mis au point, en 1876, un plan d'attaque militaire sur trois fronts. Crazy Horse devint alors le chef indiscutable de la résistance sioux. Réunissant une force de mille deux cents Indiens Oglala et Cheyenne, Crazy Horse vainquit et força en retraite la colonne du général George Crook, le 17 juin 1876, alors que ce dernier essayait de remonter Rosebud Creek. Après la bataille, les vainqueurs rejoignirent le vaste camp des Sioux et des Cheyenne le long de la rivière Little Big Horn. Le 25 juin, la colonne du général Custer attaqua le camp. Crazy Horse (parallèlement à Chief Gall) était à la tête d'un groupe composé de guerriers sioux (Oglala et Hunkpapa) et cheyenne et décida d'un assaut visant à prendre l'ennemi en tenailles. Le Septième Régiment de cavalerie de Custer fut bientôt pris de flanc, encerclé et mis en déroute. Toutefois, cette splendide victoire des Indiens ne modifia pas l'issue de la guerre ; après le succès de Little Big Horn, Sitting Bull et Gall se replièrent au Canada, tandis que Crazy Horse resta sur place pour combattre le général Nelson Miles, qui s'attaqua sans relâche aux Lakota et à leurs alliés pendant tout l'hiver 1876-1877. La raréfaction des bisons, combinée à ce harassement militaire permanent, contraignit Crazy Horse à la reddition, le 6 mai 1877. Il fut tué en septembre 1877 par un militaire, d'un coup de baïonnette, alors que des soldats tentaient de l'enfermer dans une salle de garde sous le prétexte qu'il avait quitté la réserve sans autorisation.

Le massacre de nombreux hommes, femmes et enfants, perpétré par les troupes des Etats-Unis à Wounded Knee en décembre 1890, marqua la fin de toute résistance des Sioux à la domination des Blancs. Ils furent ensuite confinés dans des réserves dans le Minnesota, le Nebraska, le Dakota (du Nord et du Sud), le Montana, et dans les provinces canadiennes du Manitoba et du Saskatchewan.

La sculpture comme épopée : Little Big Horn

D'après Ousmane Sow, l'idée de *Little Big Horn* est née une fois terminée la série des *Masaï*. Pour preuve, il désigne une figure appartenant à cette série qui ressemble étonnamment, par certains traits, à un Indien américain. Il semble que ce personnage n'ait cessé de le hanter jusqu'à ce qu'il entame cette série. Sow souligne des parallèles entre l'histoire des Indiens nord-américains et celle des Africains, qui ont constitué la motivation essentielle de son engagement dans ce travail. Il en existe une autre, plus personnelle : l'intense lien émotionnel et l'affinité qu'il ressent pour les *natives* américains, et les similitudes frappantes qu'il a peu à peu découvertes entre leurs cultures et la sienne. Ironiquement, sa première rencontre avec les *natives* américains se fit à travers les westerns, très appréciés du public africain, où le cliché inhérent au genre présente les indigènes, les "Indiens", comme les "mauvais garçons", éternellement vaincus par le cowboy ou l'homme blanc représentant les "bons garçons". Sow cite un film dans lequel il se rappelle que l'acteur américain Alan Ladd disait que "les Indiens ne se battent pas le soir parce que leurs médecins-sorciers le leur défendent !" Il se souvient des sons éclatants des tambours des Indiens américains, utilisés comme musique de fond et prélude aux scènes de violence entre cow-boys et Indiens. Ces tambours lui rappelaient les tambours africains de son enfance au Sénégal. On peut donc voir dans *Little Big Horn* un hommage personnel de l'artiste à la culture et à l'histoire américaines indigènes.

Sow a cherché, comme dans d'autres séries, à travailler sur des oppositions qui éclairent et renforcent son message et les éléments narratifs de son œuvre. Il lui a fallu plus de quatre ans de nombreuses et intenses recherches pour mener à bien cette série. Little Big Horn lui a fourni les contrepoints qu'il recherchait. En tant qu'épisode d'une confrontation avec un agresseur, cette œuvre réussit à capter l'essence dynamique du message que Sow veut faire passer. C'est aussi le récit d'une grande victoire remportée au cours d'une histoire par ailleurs marquée par le défaite, le génocide, l'anéantissement et la déportation.

Little Big Horn se fonde sur une étude méticuleuse de l'histoire et des principaux protagonistes de cette bataille, qui se déroula en 1876 et qui devait révéler Crazy Horse comme un brillant tacticien militaire. Pour les Sioux et les autres *natives* américains, Crazy Horse reste le symbole du guerrier courageux, d'un homme qui n'a jamais accepté de compromis, n'a jamais renié ses propres valeurs. C'est un modèle de raffinement et de grâce, un brave qui défendit toujours l'idéal le plus élevé des peuples indigènes.

La représentation d'une scène de bataille ou d'une chevauchée n'est pas simple à rendre en sculpture, les trois dimensions inhérentes à cette technique en limitant dans une certaine mesure la portée. La sculpture ne peut donner l'illusion de l'espace par des moyens purement optiques, ni investir ses formes d'une atmosphère et d'une lumière particulières, contrairement à la peinture. Mais elle possède une dimension réaliste, une présence évidente auxquelles l'art pictural ne peut prétendre. La sculpture est plus efficace en cela qu'elle se concentre sur des figures isolées et des groupes limités. Et c'est précisément ce qu'Ousmane Sow a réussi à faire en situant ses personnages au sein d'une série de scènes reconstituées qui prennent en compte la configuration du champ de bataille.

Les moments qu'il a choisi de recréer incluent des protagonistes des deux camps : Crazy Horse à cheval s'élance vers un assaillant ; la mort du général Custer ; des chevaux morts s'empilent les uns sur les autres ; le spectacle macabre d'un indien écorchant un soldat ; une scène de scalp ; des combats au corps à corps ; des soldats qui se battent dos à dos. Au centre de la composition, on trouve, outre Crazy Horse, des figures des plus grands héros indiens américains comme Two Moon, Chief Gall et Sitting Bull. Ils sont disposés parmi d'autres individus : ici, un soldat desselle son cheval blessé ; plus loin, des combattants des deux camps, blessés, s'éparpillent çà et là. Considérées ensemble, ces sculptures forment un spectacle dynamique, la reconstitution panoramique et vivante d'un champ de bataille.

Dans ses figures, Sow témoigne d'une grande sensibilité aux événements historiques. Il s'étonne de ce que les célèbres chefs américains indigènes aient souvent été présentés dans les films hollywoodiens comme des hommes âgés. A sa grande surprise, il a découvert que Crazy Horse avait moins de trente ans lors de la bataille de Little Big Horn. Two Moon n'avait pas cinquante ans. Le général Custer en personne était encore un jeune homme. Pour Sow, ces faits établissent l'authenticité de Little Big Horn en tant que victoire magistrale des *natives* américains et défaite absolue de leurs ennemis. Ce fut une guerre entre rivaux dont l'âge et l'expérience étaient équivalents.

Sow réussit à transposer ce savoir en une expérience visuelle et esthétique passionnante. Il montre une extraordinaire sensibilité dans son rendu du mouvement corporel, du geste et des traits, qui permet de saisir au plus près les moments de triomphe ou de défaite. Les visages des *natives* américains présentent des expressions sereines et mystiques qui leur sont propres, tandis que ceux des Européens montrent la peur, et l'horreur face au constat de leur échec.

Curieusement, la couleur comme signe ethnique figure ici de façon évidente, et pour la première fois, dans le travail de Sow. Suivant fidèlement la nature de la confrontation, les Indiens américains sont représentés en brun, ou du moins d'une couleur plus sombre que celle des Américains européens. "La couleur, comme il l'explique avec éloquence, modifie la perception du volume par le spectateur." Elle humanise aussi les personnages. L'utilisation d'une couleur plus foncée pour les Indiens américains lui a semblé naturelle, mais cet élément a aussi contribué à donner plus d'intensité à cette scène de champ de bataille.

On peut noter que Sow a délibérément exclu toute représentation de blessures ou de sang dans sa reconstitution. Pour lui, "la guerre est en soi inhumaine !

Pourquoi y ajouter du sang ?" Cette décision prend sa source dans son souhait de laisser libre cours à l'imagination et à l'interprétation du spectateur. Une autre raison peut expliquer cette absence de complaisance vis-à-vis des descriptions macabres. Ainsi qu'il le découvrit au cours de ses recherches sur cette bataille, les Indiens américains s'arrêtèrent de tuer dès qu'ils apprirent qu'ils avaient remporté la victoire, une attitude que Sow considère comme typique de leur respect de la vie.

Cette œuvre témoigne de l'extraordinaire sensibilité et de l'immense soin que Sow apporte à la description détaillée et très expressive des chevaux engagés dans la bataille. Leurs têtes sont impressionnantes, riches de toutes sortes d'émotions humaines telles que la peur, la souffrance ou, simplement, l'excitation. Sow les saisit en mouvement, chargeant, reculant, s'effondrant sous le poids de leurs cavaliers. Ousmane Sow juge idéale la morphologie du cheval. "Le cheval est un animal doté d'une anatomie précisément dessinée et d'une forme parfaite, c'est pourquoi sa représentation réaliste en sculpture est totalement dépourvue de vie !" La seule façon de le sculpter, c'est de le torturer, de le représenter comme s'il ressentait des émotions humaines, effrayé, moribond ou souffrant. De toutes façons, Sow considère l'utilisation des chevaux sur les champs de bataille comme une injustice flagrante.

Il est stupéfiant de penser que Sow ait pu rassembler l'ensemble des éléments de *Little Big Horn,* figure par figure, sans esquisse préparatoire ni maquette. Comme nous l'avons noté plus haut, il ne travaille pas à partir de dimensions préalablement déterminées ni de modèles réduits. L'improvisation reste la clé de son art. Il décrit en ces termes son processus de travail : "Je continue de travailler, tout simplement, et les figures continuent de grandir de leur côté. J'ai en général une vague idée du résultat final, mais je ne cherche pas à savoir ce à quoi cela ressemblera. J'ai bien une idée en tête malgré tout... mais je ne m'arrête que lorsque j'ai l'impression que c'est terminé."

Il règle les problèmes au fur et à mesure de leur apparition, comme dans le cas de Two Moon, qui s'avéra trop frêle par rapport à son cheval. D'après Sow, Crazy Horse était carrément assis sur sa monture. Son mouvement, sa position sur sa monture ne furent véritablement conçus qu'une fois les deux pièces achevées séparément.

Little Big Horn semble avoir encore renforcé l'extraordinaire talent de sculpteur d'Ousmane Sow. Cette œuvre met également en lumière la remarquable attention qu'il porte aux détails, sans pour autant perdre de vue l'ensemble de sa composition. Indéniablement, Sow a réussi à mettre en scène un spectacle bourré d'action, il l'a matérialisé sous la forme d'un instant, et pour toujours. Contrairement aux films hollywoodiens, *Little Big Horn* n'oppose pas les "méchants" aux "bons". Au contraire, l'œuvre décrit l'humanité dans les deux camps de cette confrontation et, ce faisant, met en pleine lumière la légitimité de la lutte que les Indiens nord-américains ont menée pour leur dignité, leur liberté et leur droit à la vie.

Une fois de plus, Ousmane Sow émerge comme un conteur moderne, dont les mots parlent en volume et dont les histoires se structurent sous forme de récits en trois dimensions. Le travail de Sow est tout à la fois une critique acerbe de la modernité et de la post-modernité. Il révèle la *fallacy* de la modernité dans sa rupture consciente d'avec le passé et son arrogant rejet de la tradition. C'est un véritable appel à une prise de conscience de l'authenticité, une évocation modérée de la condition de ces peuples mêmes dont les mondes furent anéantis au nom de la modernité. C'est aussi une critique *acerbe* du post-modernisme dont la logique tend à vouloir ignorer les identités propres aux *natives* au profit de l'hybridité et du transnationalisme. Sow ne met pas seulement l'accent sur leurs souffrances, mais aussi sur leur sens esthétique, leur idéal de beauté, leur spiritualité. Le problème des *natives* est, pour Ousmane Sow, l'occasion de rappeler que l'homme moderne n'est qu'un enfant comparé à des peuples dont les racines historiques remontent à des dizaines de milliers d'années. Il problématise l'identité du monde moderne en la réduisant à n'être qu'une infime particule dans le vaste spectre des expériences humaines. Si ce n'est pas là une attitude ultra ou post-moderne, qu'est-ce donc ?

La sculpture de Sow est un véritable appel à la prise de conscience, une histoire réécrite du point de vue de "l'autre", et pour "l'autre". C'est, de plus d'une façon, un hommage sincère, "Native to Native".

Salah Hassan
Traduction Françoise Gaillard

Fixer le soleil en face

"Le soleil ni la mort ne se peuvent regarder en face"
La Rochefoucauld

1

LITTLE BIG HORN, 25 JUIN 1876

Quartier général du département du Dakota
Camp de la rivière de Little Big Horn, Montana, 27 juin 1876.

Il est de mon douloureux devoir de rapporter que, voici deux jours, le 25 juin, un grand désastre s'est abattu sur le général Custer et les troupes qu'il commandait. Le 22 juin à midi, il partit de l'embouchure de la rivière de Rosebud avec son régiment au complet et un fort détachement d'éclaireurs indiens et de guides. En remontant la Rosebud sur une vingtaine de miles, il tomba sur une piste, déjà repérée antérieurement, laissée par le passage d'un très grand nombre d'Indiens, et en la suivant, il découvrit, comme il l'avait supposé, qu'elle conduisait vers la rivière de Little Big Horn. Là, il trouva un village d'une taille sans précédent, et l'attaqua sur le champ avec les forces dont il disposait.
Des tranchées furent creusées, et le combat dura, malgré de lourdes pertes, d'environ 14h30 le 25 jusqu'à 6h du matin le 26, lorsque les Indiens se retirèrent de la vallée avec leurs armes et bagages. De nombreuses preuves démontrent la vaillante résistance des troupes submergées de tous côtés par des assaillants innombrables.
Il est impossible de fournir une liste nominale des tués et des blessés. Le nombre des morts, officiers compris, doit atteindre deux cent cinquante ; le nombre des blessés est de cinquante et un.

Alfred Terry, Général de brigade

Sitôt connue l'humiliante défaite de Little Big Horn, les États-Unis d'Amérique entrent en ébullition. Le président de l'Union, Ulysse Grant, songeant à ses perspectives électorales, désavoue le général Custer, coupable d'audace intempestive. L'armée américaine est chargée de pourchasser les assassins, soit les Indiens Lakota, Oglala, Teton, Pieds-Noirs, Hunkpapa, tous de langue siouan, et partis vers le Nord.

2

L'AMERICAIN BLANC

Depuis que les pèlerins du Mayflower ont débarqué sur la côte Est, nos pères fondateurs ont eu affaire aux Indiens. Qui les a, le premier, identifiés comme les "Indiens sauvages et sans pitié, pour qui la guerre consiste à détruire indistinctement tous les âges, sexes et conditions" ? George Washington en personne, dans sa Déclaration d'indépendance. *Vous voyez !*
Nos présidents successifs ont bien voulu traiter avec ces sauvages emplumés qui les ont affublés d'un surnom : "le Père-de-tous". Ce n'est pas mal trouvé. Au Canada, la reine Victoria s'appelle "la Mère-de-tous". Pourquoi pas ? Cela nous va. D'innombrables traités ont mis fin à d'innombrables guerres, chaque traité assurant les tribus de la grande tendresse du Père-de-tous pour ses fils à peaux-rouges qui, s'ils acceptent d'être entretenus par l'État dans les réserves qu'on leur attribue, n'ont pas à se plaindre. Le gouvernement fédéral des États-Unis d'Amérique les engraisse à nos frais. Comme ça, ils n'ont plus besoin de chasser le bison.
L'ennuyeux, c'est qu'ils persistent à rester propriétaires de leurs terres remplies d'or dont ils ne font rien. Juste chasser le bison. Nous avons bien utilisé les terres

inexploitées, mais ceux du Dakota résistent dans les Black Hills. Or nous avons besoin de ces noires collines pour y trouver cet or, creuser des routes, faire passer le chemin de fer. Trop de pionniers courageux vivent dans l'insécurité permanente... Nous avons déjà vingt mille colons dans les Black Hills !
Jusqu'ici, nos généraux gagnaient sans trop d'efforts, Custer surtout. Général à vingt-six ans, vous vous rendez compte ! D'accord, il n'avait pas été brillant à l'école militaire, mais notre vaillant "Boy General" dirigeait l'expédition militaire qui a trouvé les gisements au Dakota. Et c'est lui qui succombe, notre héros aux cheveux dorés comme l'or des Black Hills ! Il aura été trahi, c'est sûr. D'ailleurs, on va bien voir ce que donnera le procès du major Reno, son second. Ce lâche alcoolique !
Notre actuel président, Ulysse Grant, a été élu en 1868, juste après la création du territoire du Wyoming où se trouve le Dakota, le territoire des Sioux. Cette année-là, nous signâmes avec les Peaux-Rouges un excellent traité : "Aucune personne de race blanche ne doit être autorisée à s'approprier ou à occuper la moindre parcelle de ce territoire, ni à le traverser sans le consentement des Indiens". Heureusement, il s'en trouvera toujours un pour consentir... Ouste, dans les réserves ! Les autres, eh bien, ce sont des Indiens rebelles. Pour ceux-là, la plaisanterie a assez duré.
Grant est un bon président : la veille de sa réélection, il a fait arrêter des femmes qui voulaient voter au nom de leurs droits, à Rochester. On peut compter sur lui pour appliquer l'aphorisme du général Sheridan : "Les seuls Indiens bons que j'ai vus étaient morts". Après Little Big Horn, nous n'avons plus d'autre solution que de les réduire tous sans exception. C'est regrettable. Mais l'Amérique doit venger Custer.

3

PTE-SAN-WASTE-WIN, INDIENNE HUNKPAPA

Il n'est plus jeune, notre chef et prêtre Sitting Bull, et il boite, à cause d'une blessure ancienne. Comme chacun d'entre nous, il n'aime pas la guerre. Mais nos terres sont à nous. Depuis tant d'années que nous vivons ici, nous n'allons jamais dans le pays du Père-de-tous. Mais son peuple vient chez nous, lui, et il veut nous chasser ! Ce pays est le mien, et je veux y rester, disent nos frères. Moi, Pte-San-Waste-Win, cousine de Sitting Bull, j'approuve.
Sitting Bull avait prévenu... "Nous ne voulons pas des hommes blancs ici. Les Black Hills m'appartiennent. Si les hommes blancs tentent d'en faire leur propriété, je les combattrai." Il l'avait prédit dans sa vision. Ils sont tous morts.
Cela a commencé avec l'ultimatum du Père-de-tous : au 31 janvier, nous devions déguerpir. Plus souvent ! Au dégel, nous avons cherché les bisons vers le nord, et là, avec les autres tribus, nous nous sommes réunis sur les rives de la rivière Rosebud. A la lune qui entame l'été est venu le temps de la cérémonie. Nous avons creusé les trous pour les piquets, construit la charpente, coupé les branches pour couvrir la tonnelle, pendant que les guerriers attaquaient l'arbre pour capturer le pilier central, le bois où Sitting Bull, le nouveau maître de la danse, allait s'attacher pour fixer le soleil en face.
Notre danse a pour but de faire tomber la pluie. Sinon, il va tout brûler, le soleil ; les bisons n'auront plus d'herbe à manger, et nous, plus de bisons. Le soleil est un rude adversaire, qui mérite qu'on l'honore avec l'accouplement et la fertilité !
Alors le nouveau maître a offert son épouse au maître précédent ; avec sa bouche, il a transmis le morceau de racine, emblème de sa semence, à la bouche de la femme ; ensuite, elle l'a crachée dans la bouche de son mari. Dans la cérémonie, la bouche de la femme, c'est la même chose que la fosse creusée sous la tonnelle, et le bâton enfoncé dedans ; c'est la même chose que l'outil de la première épouse humaine offerte à la lune, Bisonne-Blanche.
Sans elle, les tribus n'auraient pas de bisons. Nous autres femmes, nous sommes toutes filles de la Bisonne-Blanche. C'est elle qui nous permet d'attraper les bisons avec lesquels nous avons conclu ce pacte : eux mangés, nous vivants ; c'est dans l'ordre. En échange, en l'honneur du ciel, des astres et des bisons, nous répétons le pacte chaque été ; c'est la danse. Voilà pourquoi le nouveau maître a reçu de sa femme la semence de l'ancien. Ensuite, il lui fallait souffrir.
Sitting Bull a placé sous les muscles de son torse des chevilles attachées aux lanières de cuir, celles dont l'épouse s'est servie pour relier le ciel et la terre. Les guerriers ont suspendu les lanières au pilier central, et Sitting Bull a commencé sa danse en traînant derrière lui un crâne de bison bien lourd, les cornes enfoncées dans ses chevilles et labourant le sol. Il a dansé, dansé et tiré les lanières jusqu'à

l'arrachement des chevilles enfoncées dans ses chairs. Trois jours et trois nuits. Puis, tout saignant, il s'est affronté au soleil qui l'a consumé. Pendant de longues heures, Sitting Bull a fixé le soleil en face.
A la fin, les yeux en feu, Sitting Bull a gagné sa vision : du ciel délivré tombaient en pluie serrée des soldats blancs par centaines, et c'est ce qui est arrivé à Little Big Horn. Sa vision, c'était la mort de Custer, que nos guerriers appellent Cheveux-Longs.
Justement, Custer avait coupé ses cheveux, qui n'étaient plus blonds, mais déjà comme le givre au soleil. On ne l'a pas scalpé, mais son frère Tom, oui. Et tous les autres aussi.Hélàs ! le scalp n'appartient pas à nos coutumes. C'est une coutume des autres, et c'est devenu celle des soldats blancs. Je ne suis pas près d'oublier les prédictions de notre chef et prêtre : "Ne les dépouillez pas, ne les scalpez pas". Sinon, les peuples sioux connaîtraient de grands malheurs ! Moi, je n'ai pas voulu aller comme les autres femmes aider nos guerriers à dépouiller les corps. Je me suis contentée de mettre le feu aux broussailles quand ils ont eu fini, le lendemain à l'aube.
Maintenant, Cheveux-Longs pourrit sous la pluie que la danse de Sitting Bull a libérée. Quant à nous, nous allons nous réfugier au Canada avec Sitting Bull. Il va faire froid chez la Mère-de-tous.

4

CRAZY HORSE

J'avais dix ans quand j'ai vu massacrer un village – en ce temps-là, on m'appelait le Bouclé, à cause de mes cheveux. C'était ma faute : par jeu, j'avais fléché la vache d'un blanc, et le blanc avait appelé les soldats. Les nôtres m'ont mis à l'écart sur une colline, et de là, j'ai vu, impuissant. Je suis parti seul sur les collines.
Seul, j'ai affronté le soleil et j'ai eu ma vision, un oiseau qui criait dans le ciel, des victoires, et mes frères qui m'assassinaient. Mais pour vaincre, je ne devrais jamais scalper. J'ai juré. C'est alors que j'ai reçu mon nom, Cheval-Fou. Je n'étais pas comme les fils de chefs des Oglala, j'étais un solitaire, un cheval fou. Les fils de chefs n'ont pas aimé que le conseil me charge de la protection des nôtres, parce que j'avais appris comment combattaient les Blancs, en ligne et ensemble.
Les fils de chefs ont forcé la femme que j'aimais à épouser l'un des leurs. Comme c'était son droit, elle a fini par quitter son mari et j'ai eu d'elle une fille. Mais elle est morte, ma petite fille, de cette maladie que les blancs transportent avec eux chez nous.
Les fils de chefs ont cédé leurs terres. Ils se sont rendus aux réserves. Pas moi. J'ai été voir dans les réserves. Nos chefs portent des vestes de soldats blancs, leurs chapeaux, et nos plumes par-dessus. Ils boivent du café, ils ont du tabac, parfois, de l'eau-de-feu. On ne m'achètera pas avec ça. Jamais je n'irai comme les chefs de réserve à Washington, d'où ils sont revenus éberlués par leur Cheval-de-Fer, leurs villes, leurs façons de vivre. Les blancs tuent la lune et le soleil ; les bisons, ils s'amusent à les abattre au fusil, pour rien. Mais le bison est sacré ! Ces gens sont des sans-Dieu. Ou alors, c'est que le Dieu du Père-de-tous veut la mort de ses enfants.
Enfin, sur le bord de la rivière Rosebud, les tribus rassemblées ont compris que j'avais raison. Sitting Bull a fixé le soleil en face. Ensuite nous avons attendu. Je savais qu'un de ces jours, j'aurais enfin devant moi Cheveux-Longs. Puis nous nous sommes déplacés sur les rives de la rivière Little Big Horn, là où l'herbe est bien grasse pour nos chevaux.
Il faut dire qu'on n'était pas prêts. Puis l'un des nôtres est venu prévenir qu'un jeune venait d'être abattu par les soldats. J'ai sauté sur mon cheval, j'ai été voir, ils m'ont tiré dessus ; ils m'avaient reconnu à cause du faucon que je porte sur la tête. Custer n'était pas là. J'ai filé à l'autre bout du camp et Custer est venu là où je l'attendais.
J'ai vu son écharpe rouge et son fanion. Nous étions trois mille guerriers unis pour le tuer. J'ai vu White Horse attaquer Cheveux-Longs et l'abattre avec son pistolet, mais je ne dirai rien ; White Horse est un gamin qui risque sa peau si je parle. D'ailleurs ce n'est pas White Horse qui a eu Cheveux-Longs, ce n'est pas moi non plus, c'est le soleil.
J'ai toujours détesté ce blanc à l'œil trop bleu. De loin, je l'avais vu parlementer sous sa tente avec ces marchands de vent qui veulent notre terre, le Centre du monde. Si nous touchons la plume de nos têtes pour signer leur papier, ils nous prendront le Cente du monde, car leurs feuilles qui parlent mentent sous leurs écritures.
Dans l'armée de Custer, j'ai vu les éclaireurs indiens, ces bâtards déguisés qui guident les soldats sur nos pistes. Entre ces traîtres et moi, la guerre est pire qu'avec Cheveux-Longs. Lui, il se battait. Eux, ils sont lâches.
Je n'ai pas voulu me mettre sur le dos la veste de drap bleu des soldats blancs.

5

LE SURVIVANT

Quand je vois les cartes postales représentant "le seul survivant de Little Big Horn", je ne sais si je dois rire ou pleurer. Sur la photographie, on ne distingue que le cheval Comanche. Mais moi, j'étais à Little Big Horn : sur les listes, il y avait trois disparus... Heureusement qu'on ne m'a pas trouvé ! Sinon, je serais passé devant un tribunal. Car parmi les soldats de Custer, personne n'a le droit de survivre à Little Big Horn. Personne, sauf le cheval Comanche.
Le 21 juin, le général Terry a tenu un conseil de guerre à bord d'un steamer sur la Rosebud. Je ne sais pas exactement ce qu'avaient fait les Hostiles, comme on les nomme, parce qu'avec les chefs, on ne sait jamais de quoi les Indiens sont coupables. Il y avait des restes de constructions, du sang séché sur l'herbe et des traces de beuverie. Combien pouvaient-ils être ? Un petit millier ? Terry décida que Custer irait vers Little Big Horn. Nous sommes partis le 22 juin, Custer avec notre fameux régiment, le Septième de cavalerie. Moi, je commençais à être fatigué de scalper des Indiens à qui mieux mieux sous prétexte de faire comme eux, ou bien de leur refiler des couvertures infectées de typhus — ça, c'était la grande ruse de Custer.
Ce matin-là, notre général arborait fièrement son écharpe, et son porte-drapeau brandissait le fanion, sabre en blanc sur fond bleu et rouge. On avait repéré les traces d'un campement de Sioux sur la rivière de Little Big Horn. On allait les avoir, qu'il disait. Avec nos trois détachements, celui du major Reno, celui du capitaine Benteen et le nôtre, nous ne risquions rien. Les éclaireurs indiens avaient la frousse parce que le campement avait l'air gigantesque, mais Custer s'est payé leur tête, et il les a traités de vieilles squaws peureuses.
Quand le général a séparé son Septième de cavalerie en trois, j'ai ri sous cape. Pas besoin d'être sorcier pour deviner pourquoi : Custer voulait gagner seul sa bataille sur les Sioux. Ce n'était un secret pour personne que notre général voulait être élu président à la place du président Grant. Lui, Custer, le fils d'un forgeron de l'Ohio, président, à trente-six ans !
Pas un instant Custer ne s'est douté que Reno ne pouvait même plus envoyer le moindre message, et qu'aucun éclaireur indien ne voulait courir le risque de s'aventurer jusqu'à nous. Donc, quand le général a vu le campement sur l'autre côté de la rivière, il a levé son canotier, ce fou, et lancé son cheval sur la rivière Little Big Horn ! C'est vrai qu'on ne voyait que les femmes et les enfants autour des feux de bois. Les guerriers qu'on voyait près des tentes avaient l'air affolé. Là-dessus, ils ont répliqué comme ils pouvaient. Custer fut touché, un peu. Les Indiens n'avaient pas l'air nombreux. Alors on s'est dit qu'une fois de plus, Custer était diablement fort. On avait tort.
Les Indiens sont venus de partout ; selon le major Reno, ils étaient vingt-cinq mille, et il y avait des blancs avec eux. Pour sûr, ils étaient beaucoup ; mais pas tant qu'il le dit. Et je n'ai pas vu un seul blanc avec eux. On a mis pied à terre, et on s'est défendu. On connaissait les ordres : garder la dernière balle pour se la loger dans le crâne. J'en ai vu qui l'ont fait. Pas moi.
J'ai reçu une flèche dans le bras dès le début. J'ai rampé vers un buisson et je me suis caché au bas de la colline. De loin, j'ai vu Custer se battre au sabre avec les Sioux autour, et ces sacrés cris qu'ils lançaient, on dirait des aigles par milliers... A la nuit tombée, j'entendais encore les hurlements. Vers quatre heures du matin, les coups de feu ont à peu près cessé, mais pas les cris des Peaux-Rouges qui pleuraient leurs morts. Puis je les ai vus revenir à leurs tentes, j'ai vu leurs femmes houspiller les enfants et tout empaqueter. Le soleil se levait. Alors j'ai vu nos vestes sur leurs dos et j'ai compris.
Quand les troupes de Terry ont retrouvé les corps j'avais filé vers l'Ouest. C'est là que j'ai appris que le général était mort ; franchement, il ne l'a pas volé. Tuer des Indiens tout le temps, et qu'est-ce qu'ils avaient fait, les Indiens ? Rien du tout ! Ils chassaient le bison !
Il paraît qu'ils ont eu Crazy Horse. Pour Sitting Bull, ce n'est pas demain la veille. Quand je me suis enfui, je l'ai aperçu qui priait sur la colline, les mains levées, immobile. Eh bien, je vous le dis, ce vieux est immortel. On aurait bien mieux fait de ne pas s'y frotter. Leur tuerie, je ne veux plus en être. Qu'est-ce que vous auriez fait, vous, à ma place ? Passer en jugement pour n'être pas mort à Little Big Horn à cause du général Custer ?

6

SUITE SANS FIN

1877. Le 5 septembre, un an et trois mois après Little Big Horn, Crazy Horse se rendit au Fort Robinson, croyant aux négociations promises sous serment. Le capitaine Kennington, en compagnie d'un ancien allié de Crazy Horse, Little Big Man, s'apprêtait à le mettre en cellule quand Crazy Horse, surpris, se débattit. Aidé par Little Big Man, le sergent de garde lui troua le ventre avec sa baïonnette. Crazy Horse mourut dans la nuit, à trente-cinq ans. Son cœur fut enterré secrètement à Wounded Knee.

1881. Sitting Bull quitta le Canada et fut emprisonné à Fort Randall. Après avoir tout perdu dans les négociations avec le général Terry, il fut engagé par Bill Cody, dit Buffalo Bill, et effectua de nombreuses tournées dans sa troupe dont la distribution comprenait également Annie Oackley, dite Annie-du-Far-West.

1890. Wowoka, le Messie de la tribu Païute, fonda le mouvement religieux de la Danse-des-Esprits. D'après cette doctrine, le Christ Peau-Rouge, sanglant et crucifié, allait ressusciter les morts et rendre leurs terres aux Indiens. Sitting Bull ayant autorisé les siens à exécuter la Danse-des-Esprits, il fut arrêté le 12 décembre 1890, dans sa hutte, au milieu des danseurs Hunkpapa, à Pine Ridge. Un sergent indien l'abattit d'une balle dans la tête.
Vingt-deux jours plus tard, le 29 décembre, trois cent cinquante Indiens furent massacrés à la mitrailleuse, à Wounded Knee, à l'endroit où fut enterré le cœur de Crazy Horse. Il y eut cinquante survivants, les derniers Sioux libres, qui dès lors ne le furent plus.

1934. Interdite trente ans plus tôt, la Danse-des-Esprits du mouvement messianique fut à nouveau autorisée.

1973. La cérémonie authentique de la Danse-du-Soleil fut célébrée à l'identique dans la réserve des Sioux de Rosebud, là où Sitting Bull avait célébré la danse avant Little Big Horn.

1988. Les tribus indiennes furent exemptées d'impôts sur les revenus de leurs casinos. Obtenus après trois cent soixante-dix traités entre les États-Unis d'Amérique et les tribus indiennes, les revenus des casinos situés dans les réserves et surnommés "le nouveau bison", sont les seules ressources qui permettent à quelques tribus de renaître.

1998. En mai, à Washington, le sénateur Slade Gorton, surnommé "le nouveau Custer", exigea – et exige toujours – l'abolition des privilèges indiens, qui gênent les casinos de Las Vegas. L'unique représentant des Indiens au Congrès, le sénateur Ben "Night Horse" Campbell, descend d'un des guerriers sioux de Little Big Horn.
En août, les Indiens Pequot ouvrirent un centre culturel de cent trente-cinq millions de dollars dans les forêts du Connecticut, retraçant leur histoire vieille de onze mille ans. Encore aujourd'hui, certains parmi les Américains à peau blanche défendent la réputation du général Custer dans une revue nommée *Custeriana*. Un monument tout blanc célèbre, dans les Black Hills, la gloire de Crazy Horse, à Wounded Knee, lieu du dernier massacre et tombe du cœur du grand guerrier. Parmi les Indiens d'Amérique, le plus fort taux d'alcoolisme et de suicides se trouve dans la réserve de Pine Ridge. Pine Ridge où Sitting Bull mourut ; Pine Ridge au Dakota, pays de Crazy Horse où sont les Oglala, sa tribu à peau rouge.

1996-1999. A Yoff, indifférent à toute couleur de peau, Ousmane Sow a ressuscité les vivants de Little Big Horn, dont Sitting Bull, et les morts, dont George Armstrong Custer.

Catherine Clément

Little Big Horn

Sitting Bull en prière

La charge de Two Moon

Two Moon et son cheval
Quatre chevaux morts
Soldat immobilisé par le cheval
Soldat à tête renversée

La riposte de Chief Gall

La fin d'un parcours

Crazy Horse est assailli

Crazy Horse et son cheval
L'assaillant de Crazy Horse
Moving Robe

Le clairon

Scène de scalp

Indien dépouillant un soldat mort

Soldats dos à dos

Indien blessé

Cavalier

Corps à corps au couteau

La mort de Custer

La retraite d'un soldat

Peulh

Scène du tressage

Scène du sacrifice

Scène familiale

Masaï

Guerrier et buffle

La mère et l'enfant

Guerrier debout

Zoulou

Scène Shaka

Garde Shaka, trône Shaka
Conseil Shaka
Femme Shaka assise

Guerrier menaçant
Roi captif
Guerrier couronné de cuir

Roi captif

Couple du jeu amoureux

Adolescent avec le bélier

Buveur de sang et buffle

Guerrier aux aguets

La transe

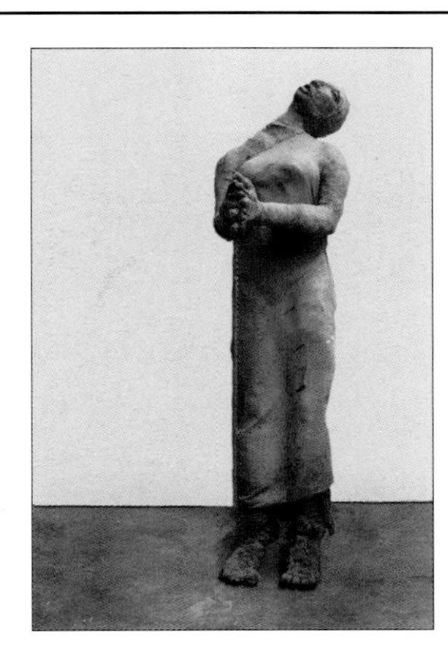

Shaka

Femme et guerrier se désaltérant

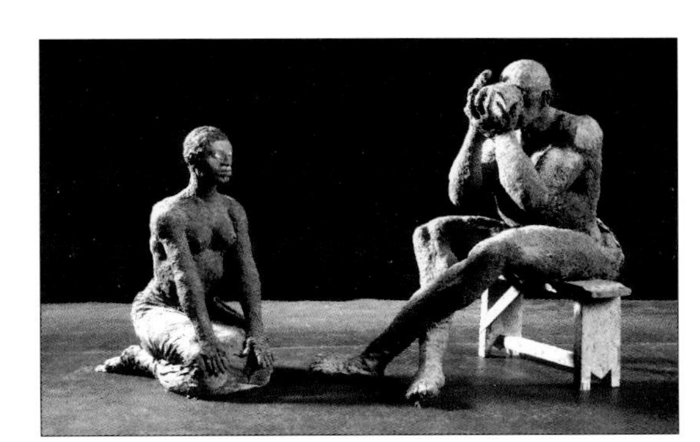

Lanceur

Nouba

Lutteur debout

Lutteurs corps-à-corps

Lutteur assis

Scène de mariage

Couple
de la scarification

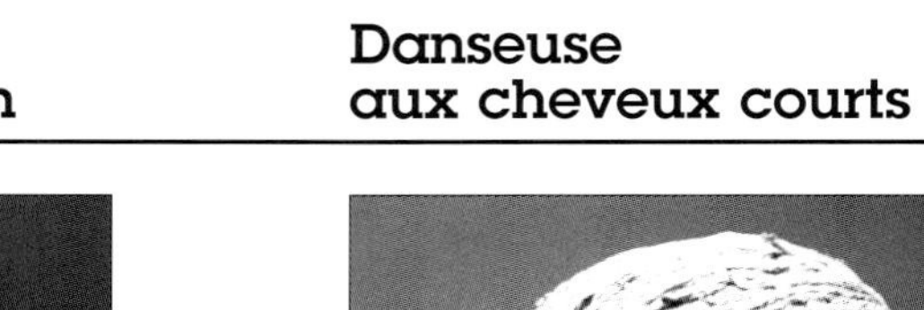

Danseuse
aux cheveux courts

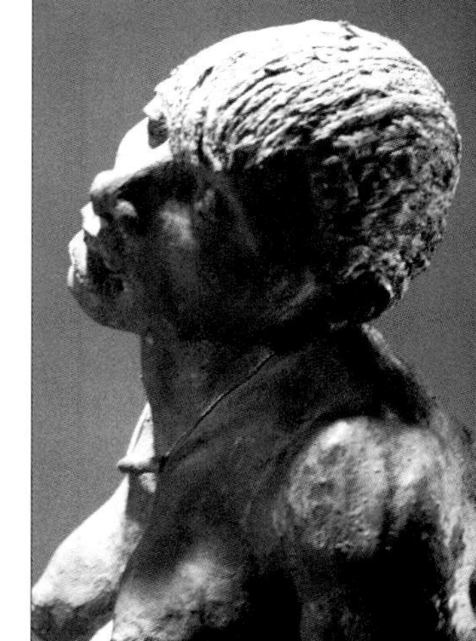

La tombée

Couple de lutteurs aux bâtons

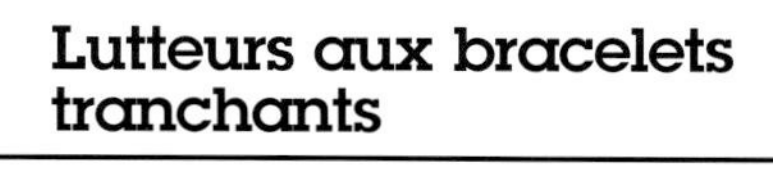

Lutteurs aux bracelets tranchants

Lutteur couché

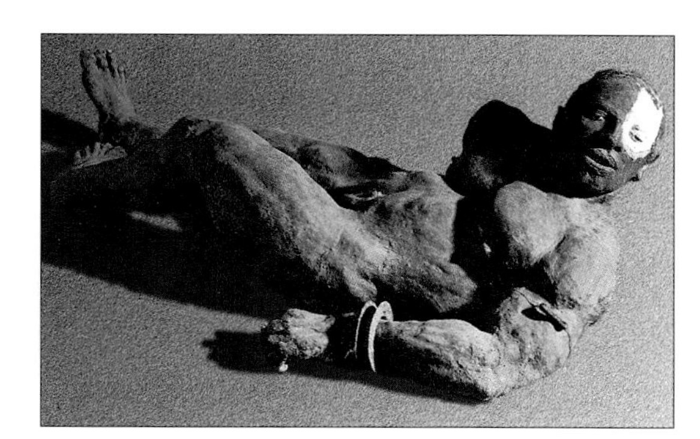

Petit Nouba

Le batteur

Danseuse aux cheveux longs

BIOGRAPHIE

Ousmane Sow naît à Dakar en 1935, d'une mère saint-louisienne, descendante directe d'une noble famille guerrière et d'un père dakarois de trente ans son aîné. Il grandit à Reubeuss, un des quartiers les plus chauds de Dakar, où il reçoit une éducation extrêmement stricte au cours de laquelle son père le responsabilise très jeune. Il hérite de ce père musulman tolérant et homme d'une grande générosité, la rigueur, le sens du devoir, le refus des honneurs et un esprit libre. A la mort de celui-ci, et malgré un immense attachement à sa mère, il décide de partir pour Paris, sans un sou en poche. Il dort dans les commissariats, et connaît la douceur d'une France alors terre d'accueil. Tout en pratiquant divers petits métiers, et après avoir renoncé à suivre l'enseignement de l'école des Beaux-Arts, il passe un diplôme de kinésithérapeute.

Bien que sculptant depuis l'enfance, c'est seulement à l'âge de cinquante ans qu'il fit de la sculpture son métier à part entière. Mais la kinésithérapie qu'il exerça jusque là n'est sans doute pas étrangère au magnifique sens de l'anatomie que l'on trouve dans son œuvre. Durant toutes ces années d'activité, il transforme la nuit son cabinet médical et ses appartements successifs en ateliers de sculpture, détruisant ou abandonnant derrière lui les œuvres qu'il crée.
Jusqu'à sa première exposition, organisée par le Centre culturel français de Dakar en 1987, on ne connaît rien de sa création, si ce n'est un bas-relief, aujourd'hui disparu, exposé en 1966 au premier Festival des Arts nègres, et l'extrait d'un film d'animation qu'il avait lui-même réalisé et qui mettait en scène des petites sculptures animées. Six ans seulement après cette première exposition à Dakar, il expose son travail à la Dokumenta de Kassel en Allemagne. Et en 1995, le *Nouba assis* et le *Nouba debout* clôturent l'exposition organisée à Venise, au Palazzo Grassi, à l'occasion du centenaire de la Biennale.

C'est en 1984, inspiré par les photos de Leni Riefenstahl représentant les Nouba du Sud Soudan, qu'il commence à travailler sur les lutteurs de cette ethnie et réalise sa première série de sculptures : *Les Nouba*. En 1988, naîtront *Les Masaï*, en 1991 *Les Zoulou*, et enfin, en 1993, *Les Peulh*. Entre temps, en 1989, il réalise pour la commémoration du Bicentenaire de la Révolution française, deux groupes de sculptures : *Marianne et les Révolutionnaires*, et *Toussaint-Louverture et la Vieille Esclave*.

En 1991, il achète le terrain sur lequel il construit, sans architecte, sa maison, née de son imagination, une maison qu'il considère comme une œuvre à part entière. Recouverte entièrement de sa matière, murs et carreaux, elle représente symboliquement le Sphinx et est la préfiguration de sa future série sur les Égyptiens.
C'est dans la cour de cette maison que naît la bataille de *Little Big Horn*, une série de trente-cinq pièces, exposée à Dakar en janvier 1999, en avant-première de l'exposition parisienne sur le Pont des Arts, qui réunit toutes ses séries. La maison et *Little Big Horn* avancent parallèlement, comme deux œuvres indissociables.
Toujours, il sculpte sans modèle. Sa matière, il l'invente. En une savante alchimie, il laisse macérer pendant des années un certain nombre de produits. Cette matière est pour lui une œuvre en elle-même, une matière qui le rend presque aussi heureux que la naissance de la sculpture elle-même. Il l'applique sur une ossature faite de fer, de paille et de jute, laissant à la nature et au matériau sa part de liberté, ouvrant la porte à l'imprévu. Une attitude fondamentalement artistique, mais africaine aussi.
Car sa vie autant que son œuvre sont aujourd'hui profondément ancrées dans son pays. Il n'imagine pas de pouvoir sculpter ailleurs qu'au Sénégal. Et, alors qu'il vécu une vingtaine d'années en France, plus rien ni personne ne pourrait lui faire quitter sa terre africaine.

CREATIONS ET EXPOSITIONS

1984-1987	**Création les Nouba**
1988	
Dakar	Centre culturel français
Bordeaux	Hangar 5
1989	
Marseille	Musée de la Vieille-Charité
Dakar	Essencerie Total
1989	**Création les Masaï**
1990	
Troyes	Musée d'Art moderne
Angoulême	Musée municipal
Orléans	Musée de la Collégiale Saint-Pierre-Le-Puellier
Calvi	Citadelle
Paris	Arche de la Fraternité
Bordeaux	Hotel-de-Ville de Peyssac
1990	**Création les Zoulou**
1991	
Montbéliard	Centre d'Art contemporain
Saint-Amand-Les-Eaux	Musée municipal
Tokyo	Kanda Ogawa Machi Chiyoda Ku
Montpellier	Musée Fabre
1992	
Kassel	Dokumenta
Riom	Musée Mandet
Saint-Denis	Carrefour des cultures de l'Océan indien
Marseille	Théâtre du Merlan
1993	**Création les Peulh**
1994	
Amiens	Maison de la Culture
Berlin	Alter Strassenbahnbertriefshof
Paris	CIES
Besançon	Galerie de l'Espace
La Chaux-de-Fonds	Musée des Beaux-Arts
1995	
Venise	Centenaire de la Biennale - Palazzo Grassi
Genève	Palais des Nations-Unies
Dakar	Assemblée nationale
Paris	La Galerie
1996	
Toulouse	Pont-Neuf
Roanne	Musée Dechelette
1997	
Venours	Rur'Art
Bruxelles	Mediatine
1998	**Création Little Big Horn**
1999	
Dakar	Mémorial de Gorée
Paris	Pont des Arts, rétrospective

Cet ouvrage est réalisé à l'occasion de la rétrospective
des œuvres d'Ousmane Sow sur le Pont des Arts du 20 mars au 20 mai 1999.
L'exposition est organisée à l'initiative de la Mairie de Paris.

Production : Le P'tit Jardin
Commissariat général : Béatrice Soulé, Emmanuel Daydé
Commissariat scientifique : Marie-Odile Briot

avec la participation de

Afrique en Créations
le Ministère des Affaires étrangères,
l'Association Française d'Action Artistique,
le Ministère de la Culture et de la Communication
(Département des Affaires Internationales,
Délégation aux Arts plastiques, DRAC Ile-de-France)
l'Agence de la Francophonie,
la Commission Européenne

Air France · Bolloré · Canal + · Gras Savoye · Métrobus ·
RFI Radio France Internationale · Télérama

*Nous remercions les partenaires qui ont permis,
en avant première à Dakar, la présentation de "Little Big Horn":*

*Le Ministère de la Culture du Sénégal
La Mission Française de Coopération
Le Centre Culturel Français*

*Air France · Bolloré · Canal + Horizons
Fougerolle · Gras Savoye
RFI Radio France Internationale
Total*

A Hélène

Conception graphique : Robert Delpire assisté de Maud Moor
Production : Idéodis Création
Photogravure : Objectif 21

Achevé d'imprimer en mars 1999 sur les presses de Mame à Tours